O CAMINHO DA FORTUNA

DEEPAK CHOPRA

O CAMINHO DA FORTUNA

Uma jornada interior para uma vida próspera e abundante

Tradução de Vera Caputo

Copyright © 2022 Deepak Chopra
Copyright da tradução © 2022 Alaúde Editorial Ltda.

Título original: *Abundance – The inner path to wealth*

Publicado mediante acordo com Harmony Books, um selo de Random House, uma divisão da Penguin Random House LLC, Nova York.

Todos os direitos reservados. Nenhuma parte desta edição pode ser utilizada ou reproduzida – em qualquer meio ou forma, seja mecânico ou eletrônico –, nem apropriada ou estocada em sistema de banco de dados sem a expressa autorização da editora.

O texto deste livro foi fixado conforme o acordo ortográfico vigente no Brasil desde 1º de janeiro de 2009.

PREPARAÇÃO: Cacilda Guerra
REVISÃO: Rosi Ribeiro Melo e Claudia Vilas Gomes
CAPA: Cesar Godoy
ILUSTRAÇÃO DE CAPA: Salamatik / istock.com

1ª edição, 2022
Impresso no Brasil

Dados Internacionais de Catalogação na Publicação (CIP)
(Câmara Brasileira do Livro, SP, Brasil)

Chopra, Deepak
O caminho da fortuna : uma jornada interior para uma vida próspera e abundante / Deepak Chopra ; tradução Vera Caputo. -- São Paulo : Alaúde Editorial, 2022.

Título original: Abundance : the inner path to wealth
ISBN 978-65-86049-70-1

1. Abundância 2. Autoajuda 3. Autoconhecimento 4. Espiritualidade 5. Desenvolvimento pessoal 6. Realização 7. Sucesso I. Título.

22-102917 CDD-158.1

Índices para catálogo sistemático:

1. Desenvolvimento pessoal : Psicologia aplicada 158.1

Maria Alice Ferreira - Bibliotecária - CRB-8/7964

2022
A Editora Alaúde faz parte do Grupo Editorial Alta Books
Avenida Paulista, 1337, conjunto 11
01311-200 – São Paulo – SP
www.alaude.com.br
blog.alaude.com.br

Para os que vislumbram

a infinita abundância

SUMÁRIO

INTRODUÇÃO
ABUNDÂNCIA E CAMINHO INTERIOR 9

PRIMEIRA PARTE
A IOGA DA FORTUNA 15

O darma e o dinheiro 21
O dinheiro e o trabalho 43
O fluxo da inteligência criativa 57
Consciência simples 67

SEGUNDA PARTE
ENCONTRE A SUA ABUNDÂNCIA 79

TERCEIRA PARTE
OS DONS DA INTELIGÊNCIA CRIATIVA 103

O sistema de chacras 105
O sétimo chacra: A fonte da felicidade 115
O sexto chacra: Inteligência superior 125
O quinto chacra: Palavras mágicas 153
O quarto chacra: Emoções profundas 173
O terceiro chacra: Ação poderosa 199
O segundo chacra: A via do desejo 219
O primeiro chacra: Totalmente aterrado 245

EPÍLOGO
NOSSO FUTURO ESPIRITUAL JUNTOS 265

AGRADECIMENTOS 271

ÍNDICE REMISSIVO 272

INTRODUÇÃO

ABUNDÂNCIA E CAMINHO INTERIOR

Existem muitos livros sobre como ganhar dinheiro, mas este é único, acredito, por revelar um caminho interior para a abundância. Quero que o leitor descubra que a abundância é um estado de consciência. A consciência é infinita; por isso, tem infinitos dons para oferecer. Essa é uma verdade ancestral que reside no centro do sistema iogue na Índia. Muito além dos exercícios ensinados em aulas de ioga (que não fazem parte deste livro), as verdades da Ioga se aplicam a todas as satisfações que a vida nos permite ter, entre as quais a satisfação material ou prosperidade. A palavra "Ioga" é magnífica, e o que existe por trás do seu significado é mais magnífico ainda. *"Yoga"*, do sânscrito, significa "juntar", "unir". Dela deriva a palavra inglesa *"yoke"*, mas, enquanto *"yoke"* traz à mente a imagem de uma carroça medieval puxada por uma parelha de bois, "Ioga" traz à luz uma realidade inteiramente nova. Nessa realidade, as coisas que costumamos pensar como separadas se unem.

As duas principais coisas que se mantêm separadas são os dois mundos em que habitamos. O mundo "lá fora", que é o mundo físico dos objetos e das pessoas. E o outro, "aqui dentro", onde a mente está em constante atividade na produção de pensamentos e ações. O propósito da Ioga é unir esses dois mundos. Isso feito, somos felizes e bem-sucedidos.

Isso nos dá uma boa ideia de quão magnífica é a visão da Ioga. Em um nível mais profundo, Ioga se refere a iluminação. Mas, para os propósitos deste livro, conseguir ser feliz e bem-sucedido é um objetivo valioso, que ela nos ajuda a alcançar de forma muito mais fácil, rápida e indolor do que podemos imaginar.

A Ioga surgiu na antiga cultura védica que há séculos tem conduzido a vida na Índia, e da qual o dinheiro não está excluído, certamente não em bases espirituais. *"Artha"*, que em sânscrito significa "riqueza", "prosperidade", é definido como a primeira coisa que se alcança na vida. Seguindo os princípios da Ioga, levaremos a vida como ela deve ser vivida, com sustentabilidade, abundância e alegria. E ao longo do caminho o dinheiro necessário para mantê-la virá para nós.

Dada a difícil realidade em que vivemos, sobretudo nestes tempos tão problemáticos, a maioria das pessoas não acredita na parte dessa promessa que diz que "o dinheiro virá". Em pesquisas de opinião pública, o dinheiro é apontado como a principal preocupação dos entrevistados. Longe de ser fornecido automaticamente, obtê-lo implica trabalho duro e dificuldades. Para sobreviver é preciso ter dinheiro; para prosperar é preciso ter muito mais. Mesmo entre as mais pujantes economias ocidentais, segundo dados levantados pelo instituto Gallup, somente cerca de um terço dos entrevistados afirma estar prosperando.

O segredo para não ter problemas com dinheiro não é se preparar para a luta diária e trabalhar duro até poder se aposentar e relaxar em segurança. Esse dia, antes associado à idade de 65 anos, tem sido empurrado cada vez mais para a frente. Muita gente, até com perspectivas financeiras bastante boas, se vê trabalhando até os 70, 80 anos. Não há nenhuma garantia de que a aposentadoria trará segurança e muito menos bem-estar. A velhice é uma aposta em todas as frentes, mas principalmente no que diz respeito à saúde e ao dinheiro. Se tivermos os dois, teremos conseguido algo muito raro: ser próspero amanhã, quando a maioria não é próspera hoje.

"O dinheiro virá" implica uma visão muito diferente do tema. Antes, é preciso mudar a consciência, e não conseguimos imaginar que mudança será essa porque os dois mundos – aqui dentro e lá fora – caminham juntos. Quando ela acontece, a vida segue por um caminho em que não somos governados pelo dinheiro, a família, os relacionamentos, os deveres e as demandas da vida normal. Por outro lado, também não somos governados por velhas crenças e condicionamentos, preocupações, confusões, caprichos, conflitos e outros elementos discordantes da mente. Cada um desses mundos é metade da realidade. Se as duas metades permanecem separadas, jamais nos completaremos. Seremos dominados ou por circunstâncias exteriores ou por conflitos interiores.

A ideia central da Ioga, ao unir os dois mundos, o de dentro e o de fora, é harmonizá-los – o que só pode acontecer na consciência. Só podemos mudar o que for consciente. Estando conscientes, estaremos no caminho que nos levará a quem realmente somos, com a vida que queremos ter. O dinheiro virá, porque ter o que de fato precisamos não é ficar na mão da divina Providência, do carma do dinheiro, dos caprichos da vida e da sorte. Resumindo, um estado consciente de felicidade e sucesso, e com dinheiro para alcançar esse estado.

Sei que a Ioga é raramente relacionada ao dinheiro. O Ocidente conhece apenas um ramo dela: a hataioga. É a prática física das aulas de ioga, que hoje surfa uma onda de popularidade desconhecida no passado (eu mesmo tenho me beneficiado disso com muito entusiasmo). Não vamos tratar dela nestas páginas, mas quem pratica ou já leu alguma coisa a respeito sabe que as posições da hataioga visam o alcance de um estado centrado da mente e do corpo. Isso se encaixa perfeitamente na visão geral da Ioga, que é unir duas coisas separadas. Para ser mais claro, usarei a palavra "Ioga" com inicial maiúscula quando me referir a essa grande união, e "ioga" com minúscula para as práticas ensinadas nas aulas.

Dizem que o dinheiro não traz felicidade. Mas a pobreza traz sofrimento. Para mim, equalizar pobreza e espiritualidade é um grande erro. Existem virtudes naqueles que têm apenas as necessidades básicas atendidas, se afastam das demandas mundanas e dedicam a maior parte de suas horas despertas a buscas espirituais

– não são todos, no Oriente e no Ocidente, que escolheriam viver assim. Mas a pobreza não faz de nós pessoas espiritualmente ricas, seja ela voluntária, escolhida como um caminho de pureza, seja ela forçada, da qual não se consegue sair.

A vida tem um único propósito para todos nós, que é nos conectarmos com a generosidade do espírito e deixar que ele nos dê tudo de que necessitamos. Necessitar e desejar são a mesma coisa? A Ioga realiza os nossos desejos e nos enriquece? São perguntas erradas. A Ioga nos alegra interiormente, e essa é a única medida real do sucesso. Se nos entregarmos a fantasias e buscarmos a satisfação no dinheiro, só estaremos querendo compensar uma alegria que não temos.

A primeira parte deste livro aborda a questão do dinheiro e da prosperidade. A segunda cobre os aspectos da abundância. Da Ioga, extraímos o que mais valorizamos – amor, compaixão, beleza, verdade, criatividade e crescimento pessoal –, conscientemente. Quanto mais conscientes formos, mais ricos seremos. A terceira parte alcança os níveis mais profundos da Ioga, em que a consciência-alegria brota como possibilidade infinita. Essa parte se concentra no sistema de chacras, os sete níveis em que a consciência pode estar em perfeita sintonia e completamente desperta.

Se a Ioga traz a alegria aqui e agora, o que precisamos e o que desejamos está harmonizado, porque a nossa existência também estará em harmonia. Tendo em mente essa visão tão ampla do que podemos ter, comecemos.

PRIMEIRA PARTE

A IOGA DA FORTUNA

A Ioga nos oferece a melhor maneira de ganhar e usar o dinheiro, mostra o seu real valor e como usá-lo para ter sucesso e felicidade. Sei que essa afirmação pode causar surpresa, pois a espiritualidade indiana é identificada com a renúncia e o desapego às coisas deste mundo. A imagem típica é a do eremita com longa barba branca, meditando em uma caverna no alto do Himalaia. Mas, na verdade, a Ioga não é espiritual no sentido religioso. A Ioga é a ciência da consciência.

Sabendo como a consciência realmente se comporta, descobrimos que algo surpreendente acontece: nós mudamos com ela. Qualquer outro aprendizado não tem esse efeito espetacular. Podemos nos entusiasmar, até mesmo nos extasiar, aprendendo história, geografia, física etc., mas isso não nos faz mudar interiormente, não traz uma transformação espiritual como na Ioga.

Isso está diretamente ligado ao dinheiro, por mais estranho que pareça. No nível da alma está a generosidade do espírito que se manifesta em:

- prosperidade infinita;
- possibilidades infinitas;
- criatividade ilimitada;
- compaixão, bondade e gentileza;

- amor eterno;
- doação ilimitada.

    Esses são todos dons inatos e a consciência humana se destina a expressá-los. Se forem incorporados à nossa vida, seremos prósperos no real sentido da palavra. Medir a prosperidade só pelo dinheiro é espiritualmente vazio. (Não conheço bem o *reggae*, mas o grande Bob Marley se expressou como um iogue quando disse: "Existem pessoas tão pobres que só têm dinheiro".)

    Para alcançar a prosperidade duradoura, aquela que dá significado, valor e sustentação à vida, a existência diária deve ser baseada na generosidade do espírito. Então, o que desejarmos nos será dado.

    Fazendo a conexão entre consciência e dinheiro, estaremos no caminho correto. Ter dinheiro não significa possuir barras de ouro e todas as moedas e notas do mundo entrando e saindo do bolso e da carteira. O dinheiro é uma ferramenta da consciência. Portanto, é o estado da nossa consciência que determina como o vemos, como o ganhamos e onde o usamos. Assim como o dinheiro, a consciência está sempre em movimento. Ela nos faz querer mais da vida; o dinheiro acompanha a nossa jornada e, se tivermos o suficiente, tudo será mais fácil.

    Se a meta, em vez de ganhar dinheiro, for ter mais da vida, a consciência pode nos ajudar. Para a Ioga, essa ajuda vem do darma, que em sânscrito significa "sustentar", "ajudar". Quando estamos no nosso darma, como se costuma dizer, prosperamos. Quando estamos fora dele, conhecemos a carência. Sem a ajuda da consciência não se obtém nada valioso.

    A concepção por trás do dinheiro é poderosa, e, uma vez tendo sido consolidado (segundo arqueólogos, a primeira unidade monetária, o *shekel* mesopotâmico, data de cerca de 5 mil anos), ele explodiu como ideia. E até hoje continua crescendo. Como criação da mente, o dinheiro supre quatro necessidades da sociedade humana: recompensar, valorizar, suprir e trocar. Veja por que precisamos tanto de dinheiro e por que ele é tão presente na nossa vida.

Recompensar: O dinheiro dado como presente de aniversário, o salário pago ao trabalhador e a gorjeta deixada para o garçom são recompensas.

Valorizar: O dinheiro ganho como presente de aniversário não é fruto do trabalho, mas expressa o valor do aniversariante. O salário que recebemos expressa o valor do nosso trabalho, e para muita gente isso se torna um meio de avaliar sua autoestima.

Suprir: Uma economia de serviços como a nossa não só realiza os nossos desejos como supre as nossas necessidades. Quando precisamos de um médico, uma escola, um jogo de pneus novos e milhares de outras coisas, é o dinheiro que nos dá, mesmo que sejam necessidades supérfluas como um tênis da moda ou uma tevê de tela plana.

Trocar: O dinheiro estabelece a diferença entre dois itens de valores distintos. Se quero vender uma *mountain bike* para alguém que só tem uma dúzia de ovos para me dar em troca, um valor em dinheiro terá que ser acrescentado para que a troca seja justa.

Todas essas ideias e elucubrações em torno do dinheiro são produtos da consciência. Isso é fácil de demonstrar. Mas a Ioga acrescenta um elemento que talvez seja o mais importante: ela nos ensina que quanto mais nos aproximamos da consciência, mais poder a consciência tem. Traduzindo esse poder nas coisas que desejamos, e no dinheiro para pagar por elas, a consciência foi transformada em bens.

O dinheiro não pode se desvincular dessa montanha de boas e más escolhas. Por estar ligado a tudo que necessitamos, valorizamos, recompensamos e trocamos, ele é, na verdade, a moeda da consciência. Para sentir ou causar alegria, amar, ter amigos, família, trabalho, oportunidades, sucessos e reveses, o dinheiro sempre estará envolvido.

Segundo a Ioga, a consciência é criativa. Ela dá à mente pensamentos, sentimentos, inspirações, descobertas, *insights*, percepções e tudo o mais que valorizamos, inclusive amor, compaixão, felicidade e inteligência. Quanto mais perto estivermos da fonte silenciosa da consciência, mais benefícios receberemos. Na tradição judaico-cristã, esses benefícios se traduzem em um Deus misericordioso, a Providência divina. Mas a Ioga está focada no interior de cada um de nós, não em um poder divino externo.

Mantendo o foco no interior, deixamos de ser meros primatas para sermos uma expressão da consciência pura e infinita. Estamos vivos para realizar todas as possibilidades criativas que já temos. A Ioga não faz juízos de valor: é a ciência da consciência, não um conjunto de regras morais. No momento em que o desejo brota na consciência, ele é igual a todos os outros. É nossa responsabilidade saber se esse desejo nos fará bem ou mal.

O DARMA E O DINHEIRO

A generosidade do espírito é infinita. Portanto, nada é mais natural que a prosperidade. Não natural é a escassez, a carência, a pobreza. Sim, eu sei, são palavras pesadas. Todas as crenças giram em torno de ser rico ou pobre, de ter ou não ter. Forças sociais trabalham contra os mais pobres, mas não as culpo nem faço juízos de valor. O espírito se mantém intacto, apesar de permear toda a desigualdade e a injustiça. Se olharmos a foto de uma pessoa em qualquer lugar do mundo, como todos nós ela tem um caminho do darma que é adotado pelo espírito – é sempre um caminho interior. E mesmo assim são poucos, no Ocidente e no Oriente, ricos e pobres, que sabem como ter acesso ao seu renascimento espiritual. A Ioga é um depósito dos conhecimentos necessários para que possamos viver a vida como ela deve ser vivida: satisfeitos e prósperos, *de dentro para fora*.

O segredo da prosperidade é seguir o próprio darma, que é o melhor caminho para cada um. E o "melhor caminho para cada um" não é definido *a priori*: nós temos escolha – a vida toda escolhemos o que nos trouxe até aqui. Olhe em volta e perceba que a situação em que você está é uma criação da mente: a casa, o seu local de trabalho, os objetos, a conta bancária etc., tudo resulta da consciência. Interna ou externamente, as coisas materiais não têm valor em si mesmas. Uma mansão pode ser um lugar triste e uma cabana estar repleta de felicidade. Um trabalho pode ser fonte de satisfação pessoal ou uma prisão. O salário pode comprar tudo que se deseja ou mal permitir a sobrevivência.

Se quisermos mais da vida, teremos que ter uma perspectiva que seja abraçada pelo darma. Mais adiante, será pedido que você descreva a sua visão pessoal de sucesso, prosperidade e satisfação. Mas, para que isso sirva de alguma coisa, é preciso saber quais valores são aceitos pelo darma e quais não são.

O DARMA ME AJUDARÁ SE EU...

procurar obter alegria e satisfação;
me doar ao outro;
considerar o seu sucesso tão importante quanto o meu;
agir por amor;
tiver ideais e viver de acordo com eles;
for uma pessoa pacífica;
for uma inspiração para os que me rodeiam;
confiar em mim mesmo;
ouvir e aprender;
expandir as minhas opções;
assumir responsabilidades;
tiver curiosidade por novas experiências;
tiver a mente aberta;
cultivar a autoaceitação e souber qual é o meu valor.

Estar no darma é natural e tudo se torna fácil. A vida moderna não aponta para o darma, mas para o oposto. Somos levados a crer em um estilo de vida que nos causa estresse, distração, infelicidade e estimulação constante. Suas consequências se impõem aos que vivem na superfície da consciência. E é na superfície da consciência que estão as constantes demandas e desejos cujas raízes são muito superficiais. O valor espiritual desses desejos é nulo, ou seja, não há conexão com o darma.

A Ioga nos mostra o real funcionamento da consciência. A partir disso, cada um escolhe viver como quiser. Podemos viver sem saber como funcionam os carros; são apenas máquinas úteis e substituíveis. Mas conhecer tão pouco como funciona o darma é criar muitos problemas. Inconscientemente, estamos trabalhando contra o apoio do espírito de várias maneiras:

O DARMA NÃO PODE ME AJUDAR SE EU...

me contentar apenas em ser o primeirão;
passar por cima dos outros;
for desonesto;
culpar os outros pelas minhas dificuldades;
fizer qualquer coisa para enriquecer;
achar que o sucesso material é mais importante que a alegria;
ignorar as necessidades dos outros;
achar que estou sempre certo;
quiser dominar e controlar os outros;
ignorar o meu próprio estresse;
for ingrato;
não for empático e amável;
receber mais do que dou;
for teimosamente tacanho.

Para grande parte das pessoas, na maior parte do tempo, é fácil evitar tudo isso. São pequenos atos egoístas – um desrespeito ocasional, a tendência a transferir culpas, o hábito de querer receber mais do que se dá – introduzidos no nosso dia a dia sem que se perceba. O darma não pede que sejamos santos, mas que estejamos conscientes. Tendo consciência de tudo o que o espírito nos dá, o darma é uma fonte da alegria.

O tipo mais valioso de consciência é a consciência de si, porque o darma se orienta não pelos nossos desejos, mas pelo nosso eu verdadeiro, o eu que está na fonte do espírito. Faz muitos anos que peço às pessoas que elevem a consciência de si mesmas respondendo a perguntas que vão ao âmago da questão. Antes de continuar, convido você a elaborar o que costumo chamar de "perfil da alma". Em seguida, veremos o que ele nos revela.

LEIA O PERFIL DA SUA ALMA

COMO OUVIR O VERDADEIRO EU

Ser próspero no darma é estar no caminho correto, o caminho que foi definido e preparado para cada um. Como se faz isso? Consultando a consciência profunda, a nossa fonte de sabedoria e inspiração. A consciência profunda também pode ser chamada de alma ou eu verdadeiro. As mensagens que nos chegam desse nível nutrem as nossas experiências com alegria e satisfação, muito mais do que a atividade mental superficial. Quem tem essa conexão com a alma está no darma diariamente.

A beleza da alma, do verdadeiro eu, é não ter uma programação. Podemos nos ocupar das demandas e necessidades da vida diária e, ao mesmo tempo, receber as mensagens que nos são enviadas de um nível mais profundo. Essas mensagens silenciosamente nos ajudam a lembrar o que há de mais valioso na vida. E o que há de mais valioso na existência humana – o amor, a compaixão, a criatividade, a sabedoria, o crescimento interior, os *insights*, a beleza e a verdade – já está em nós. Essa é a mais pura verdade. A luz da consciência pura é eterna, e, felizmente, em algum nível todos nós vivemos na luz.

Cabe a cada um unir o que pensa ser ao seu eu verdadeiro. Ninguém precisa se esforçar para melhorar. No nível da alma já somos seres muito valiosos. Neste exato momento, as mensagens da alma estão registradas no nível do ego, principalmente. Quando sentimos o impulso do amor, da beleza, da empatia, do *insight* e de tudo o mais que vem da alma, são mensagens dela penetrando as defesas do ego. O ego é só uma imitação ruim do eu verdadeiro.

QUESTIONÁRIO

O questionário a seguir nos ajuda a entrar em contato com quem realmente somos. Para a maioria das pessoas, é o que gostaríamos de ser.

INSTRUÇÕES

Vá para um lugar tranquilo e concentre-se na respiração. Quando estiver calmo e centrado, responda às perguntas através do seu eu verdadeiro.

Sugestão: evite longas descrições e dê respostas curtas. Recomendo respostas de apenas três palavras – e que sejam sinceras.

1. Descreva uma experiência importante, uma descoberta súbita, uma reviravolta na sua vida, um momento em que você se sentiu "em alfa".

   Resposta: _____

2. Em três ou quatro palavras, descreva o seu propósito de vida.

   Resposta: _____

3. Qual foi a melhor contribuição que você já deu a sua família?

   Resposta: _____

4. Quais são os três valores mais importantes com que você contribui em seus relacionamentos?

   Resposta: _____

5. Quais são os três valores mais importantes que você espera receber dos seus relacionamentos?

   Resposta: _____

6. Quem são seus três maiores heróis/heroínas?

   Resposta: _____

7. Que dons, habilidades ou talentos especiais você tem?

   Resposta: _____

8. Como você contribui para um mundo melhor para si e as pessoas à sua volta?

   Resposta: _____

9. O que você faria se tivesse dinheiro e tempo de sobra?

   Resposta: _____

10. Qual foi a coisa mais importante que você quis fazer e nunca fez?

    Resposta: _____

REFLITA SOBRE AS SUAS RESPOSTAS

O real objetivo e o valor dessas perguntas é apresentar você ao seu eu verdadeiro. Se já está satisfeito com a vida que tem, você conhece muito bem o seu eu verdadeiro. Mas ainda há espaço para você atingir níveis mais elevados do que já alcançou e viver mais de acordo com os seus ideais, embora as suas respostas não reflitam oportunidades perdidas e sonhos desfeitos.

A maioria de nós descobre que só conhece o seu eu verdadeiro apenas aos trancos e barrancos. Na maior parte do tempo, comportamentos inconscientes preenchem o vazio, permitindo que você se identifique com a autoimagem que projeta no mundo. Alegria e satisfação são mais uma inspiração passageira do que a sua realidade cotidiana. É no eu verdadeiro que você se conecta com o seu darma, que apoia a vida que você deveria levar. Apesar desse vaivém que você vive agora, o darma está à sua espera para entrar em contato.

É bom guardar as respostas e voltar regularmente ao perfil da sua alma. Ninguém a não ser você pode fazer um *check-up* interno. Com as suas respostas, você entrou em contato, de maneira reflexiva, com uma realidade mais profunda e expandiu a sua consciência. O eu verdadeiro sabe que você está tentando estabelecer com ele uma conexão mais duradoura, uma conexão que se fortalecerá se você estiver focado no perfil da sua alma.

O CARMA DO DINHEIRO

O darma nos apoia na intenção de sermos prósperos e bem-sucedidos, primeiro por dentro e depois através dos reflexos disso na nossa vida. A Ioga ensina que os dois mundos que ocupamos, aqui dentro e lá fora, são, na verdade, dois aspectos da realidade. Um famoso sutra, ou axioma, da Ioga diz: "O mundo é o que você é".

O que refletimos lá fora é resultado das nossas intenções. É claro que algumas pessoas têm reflexos melhores do que outras. Se alguém quer ter muito dinheiro, mas as circunstâncias estão muito aquém do ideal, alguma coisa está faltando. O que queremos e o que obtemos não estão em sincronia.

O culpado é o carma, que ocupa o espaço vazio entre a intenção e a consequência. Pense nos sucessos e reveses que vivenciou até agora. Todo mundo já os teve, até os mais poderosos e glamourosos (por isso as celebridades nos interessam tanto: sonhamos com um ideal de vida, mas nossos ídolos têm problemas tão sérios quanto os nossos).

Por que coisas ruins acontecem a pessoas boas? Isso é carma. A sociedade contemporânea não considera isso justo. Coisas ruins acontecem por todas as razões, inclusive acidentes inexplicáveis, que não têm nenhuma razão de ser. Mas a doutrina do carma abrange o que é bom e o que é ruim. É também o motor que move o oposto, dando riqueza e poder a quem não merece. Por isso a situação cármica parece tão injusta. A mente racional não vê as coisas dessa maneira. Há sempre o risco de culpar a vítima inocente ou tolerar o mal cometido pelo rico e poderoso.

Portanto, a doutrina do carma não justifica dizer que a vida é justa ou injusta. Carma é simplesmente o resultado das nossas ações passadas – em sânscrito, *"karma"* significa simplesmente "ação". Há um certo mistério envolvendo a noção de carma bom e ruim, mas no dia a dia dependemos totalmente do carma, que é simplesmente causa e efeito. Se não existisse essa relação entre causa e efeito, tudo seria imprevisível. Seria muito estranho se o gelo de repente pegasse fogo ou se o chocolate tivesse gosto de peixe.

Sempre que as pessoas se referem a um carma bom ou ruim, em geral estão pensando em sorte ou azar. Inesperadamente, alguém ganha uma fortuna na loteria ou, no outro extremo, perde tudo que tem com a queda da bolsa. Em um nível mais elevado de complexidade, o carma é mais que isso: se a sorte é fortuita, o carma é tecido no intrincado esquema de causa e efeito. Se provocamos uma coisa, o efeito é inevitável. É como se o carma, seguindo os passos das nossas ações – boas e más –, nos perseguisse o tempo todo para nos envolver em situações das quais queremos nos livrar o mais rápido possível.

Existe alguma força invisível que governa as nossas melhores intenções ou traz súbitas recompensas sem que façamos nenhum esforço? Nunca houve essa intenção na teoria do carma, o que não implica uma força fatídica incontrolável. Certamente somos nós que controlamos as nossas ações e a doutrina do carma acrescenta somente as consequências imprevisíveis, conceito que não é nem estranho nem exótico.

Se examinarmos as nossas ações e as suas consequências, a soma de todas elas é o nosso carma pessoal. É possível fazer esse cálculo? Não, não durante a nossa vida diária, porque são tantas ações e tantas consequências que nem de longe é possível somá-las. (No hinduísmo há ainda o fator das ações de vidas passadas, mas não falaremos aqui de reencarnação, que para os nossos propósitos é irrelevante – os atos praticados nesta vida já nos desafiam o suficiente.)

O carma só é prático na nossa vida diária se for reduzido a fatores que podemos mudar. Aplicado às nossas circunstâncias atuais, o nosso carma se resume em:

- hábitos;
- reações automáticas e reflexos;
- comportamentos inconscientes;
- traços de caráter;
- predisposições, incluindo dons e talentos.

Como vemos, há todo um conjunto de padrões de comportamento que podem ser chamados de "cármicos", não por serem inerentemente prejudiciais, mas por não terem uma causa evidente. O carma não pode ser a causa da genialidade de um Mozart ou do déficit de atenção de uma criança, ou de uns serem tão felizes e outros, tão tristes. A psicologia moderna ainda não tem resposta para isso. Talentos inatos, como o musical, não são transmitidos de pais para filhos – um gênio da música como o maestro Leonard Bernstein não nasceu em uma família musical, mas é sabido que desafiou o pai, Sam, que preferia vê-lo vendendo produtos para cabelos.

Gênios de toda sorte nascem em famílias completamente comuns. O mesmo se dá, como bem sabem as mães, com o comportamento infantil. O vínculo íntimo entre a mãe e a criança permite que ela assista desde o primeiro dia ao surgimento de uma personalidade e de um caráter, e surgem sinais indicadores que se concretizam à medida que a criança cresce.

Se o carma não explica nada, para que serve, então? Sua principal função é nos permitir escolher se vamos viver de maneira consciente ou inconsciente. Consideremos os hábitos, que estão incluídos na primeira categoria. Todo mundo sabe como é difícil mudar um mau hábito, às vezes adotado por toda uma sociedade, como na atual epidemia da obesidade. Quase tudo que está associado a comer demais – falta de controle nas porções, salgadinhos em excesso, alimentos gordurosos, lanches açucarados, vida sedentária – se desenvolve inconscientemente. É da natureza dos hábitos infiltrar-se sem que se perceba, até serem notados por nós mesmos ou pelos outros, mas então suas raízes já serão muito profundas.

Estudos mostram que uma pequena porcentagem das pessoas que fazem dieta, mais ou menos 2 por cento, consegue perder até 3 quilos e manter o peso por dois anos (os 98 por cento restantes não perdem peso e, se perderem, logo o recuperam). Esses números lamentáveis refletem o poder do comportamento inconsciente. Embora não haja nenhum mistério cármico envolvido nisso, não há nada que diminua a capacidade de uma força cármica que nós mesmos geramos ao longo de anos e anos de hábitos inconscientes.

Saber que comemos demais ou ver no espelho que engordamos não é o mesmo que ter consciência da solução – é ter consciência do problema. O carma nos leva para o nível da solução e deixa tudo mais claro. No caso de comer demais, as pessoas tentam variadas soluções que não quebram o hábito, em grande parte porque os padrões cármicos são constantes, enquanto o desejo de comer menos vem e vai, dependendo do que o indivíduo sente em um dado momento.

Examinando o problema mais de perto, sabemos que é inútil viver em guerra consigo mesmo. Isso causa hesitações e autorrecriminações, e não ajuda em nada ou quase nada a encontrar uma solução, por mais que aumentemos o número de horas na academia. Comer demais pode ser solucionado com um ou dois métodos. Ou um dia a pessoa acorda e diz "Basta!", e então descobre que a vontade de comer desapareceu; ou, o que é mais comum, reduz a ingestão de calorias contando cada bocado que come ao longo do dia e registrando as quantidades no notebook para evitar trapaças e lapsos inconscientes.

Usei como exemplo um hábito comum para ilustrar algo fundamental: *o carma só muda quando é consciente.* Lutar contra qualquer tipo de carma só faz aumentar a luta consigo mesmo. Se os impulsos conflitantes dentro de nós conseguissem pedir uma trégua, já o teriam feito há muito tempo. Sabemos disso pelos impulsos que já foram equilibrados. Tomemos qualquer problema pessoal grave – fobia, ansiedade, acessos de raiva, inveja, insegurança, timidez, depressão, um relacionamento abusivo, abandono paternal; algumas pessoas apenas descobrem que sua vida está imobilizada drasticamente pelo problema, enquanto outras o resolveram e seguiram em frente.

O carma não é inexorável. Para quem está preso, o remédio para se soltar está sempre à mão através do autoconhecimento. Os problemas de dinheiro mais comuns que podem ser considerados cármicos são os descritos a seguir.

Questionário

QUAL É O SEU CARMA DO DINHEIRO?

Classifique cada um dos itens a seguir em uma escala de 1 a 10:

1 = Não é um problema
5 = Às vezes é um problema
10 = É um problema grave

___ Você acha difícil controlar as suas despesas mensais.

___ Você tem dívidas no cartão de crédito.

___ Você está sobrecarregado com um empréstimo bancário ou estudantil a longo prazo.

___ Seu salário não paga a sua hipoteca.

___ Você não está planejando a sua aposentadoria.

___ Você esbanja com supérfluos, em geral por impulso.

___ Você tem gostos caríssimos, incompatíveis com a sua renda.

___ Você tem brigas em casa por causa de dinheiro.

___ Você se preocupa com o seu futuro financeiro.

___ Você não sabe como se livrar das suas dificuldades financeiras.

___ Você vive só do seu salário e torce para que ele dure até o fim do mês.

___ Você prevê despesas com as quais não poderá arcar, como custear a educação de um filho ou a casa de repouso para um parente idoso.

___ Você nunca conseguiu guardar dinheiro.

___ Você acha difícil aprender sobre finanças, ou nunca se preocupou com isso.

___ Você tem impostos atrasados.

___ Você não aceita conselhos financeiros.

___ Dinheiro para você é um assunto proibido.

___ Você gasta muito e depois se arrepende.

___ Você não aprova o modo como seu parceiro gasta dinheiro.

___ Você acha que é mal pago pelo seu trabalho.

Total de pontos: ___

AVALIE A SUA PONTUAÇÃO

Se você usa bem o seu dinheiro, marcando 1 nos vinte itens, talvez você nem exista. A perfeição é tão rara quanto o oposto dela, que é marcar 10 nos vinte itens.

A maior parte das pessoas está na média de 5 nos vinte itens, que é igual a 100. Ou seja, a sua vida financeira é habitualmente motivo de preocupação, se você examiná-la claramente. Algumas coisas estão funcionando, outras não. A questão não é realmente o total numérico, mas aqueles itens, ou questões, que você classificou entre 7 e 10. São pontos potencialmente perigosos, e você irá apenas acrescentá-los às suas preocupações e seguir em frente.

Por outro lado, cada item classificado como preocupante abriga uma escolha, que é quase sempre de uma expansão da consciência. Só o que é consciente pode ser mudado. Não há nada a temer quanto a ser mais consciente. Já temos consciência dos nossos problemas no nível dos problemas. A mudança a fazer é termos consciência dos problemas no nível da solução.

E, por fim, o dinheiro deve ser usado apenas como compensação. As pessoas veem o dinheiro como um caminho para a felicidade, quando o verdadeiro caminho, o da consciência-alegria (que discutiremos em mais detalhes na terceira parte deste livro), está fechado para elas. Ser autoconsciente não é uma promessa de prosperidade. Mas a consciência de si ajuda a colocar o dinheiro na perspectiva correta, como

> algo que é útil, mas não pode ser uma obsessão para quem escolher uma vida plena. Muitos problemas financeiros se desvanecem por si mesmos quando se compreende isso.

O CARMA DO DINHEIRO PODE MELHORAR

Todos os problemas têm solução em algum nível da consciência. Estar mais consciente é uma boa base para a mudança. Quanto a mudar o carma do dinheiro, veja a seguir os fatores autodestrutivos que são impulsionados inconscientemente por velhos hábitos e condicionamentos do passado:

- preocupações e ansiedade;
- inércia;
- negação;
- pensamentos ilusórios;
- desistências;
- fuga de si mesmo;
- pessimismo;
- autocrítica.

Todo mundo está sujeito a essas táticas inúteis, e quanto mais sensível for a questão, mais recorremos a elas. Certamente o dinheiro é uma questão muito sensível, por estar vinculado à ideia de sucesso e fracasso pessoal. Aos olhos da sociedade, ter dinheiro é sinônimo de sucesso; quem não o tem é invisível e ignorado.

Entretanto, a maioria das pessoas não consegue entender o carma do dinheiro de forma positiva.

Estas são as táticas que causam mudanças nos padrões cármicos porque estão vinculadas ao autoconhecimento:

- percepção clara;
- honestidade consigo mesmo;
- busca de ajuda especializada;
- persistência;
- crença de que existe uma solução;
- confiança em encontrar a solução;
- pensamentos realistas;
- mente aberta ao fazer escolhas;
- responsabilidade;
- fazer o que deve ser feito.

Se considerarmos as duas listas, veremos que agimos conscientemente em outros aspectos da vida além do dinheiro. Não há pendências cármicas, por assim dizer, quando fazemos o que nos dá alegria, o que nos desperta amor, beleza, solidariedade, reconhecimento, o que nos deixa satisfeitos. O dinheiro em si não proporciona essas experiências. Ele ou nos ajuda a tê-las ou bloqueia nosso caminho para elas. A estratégia para mudar o carma do dinheiro gira em torno desse entendimento.

MELHORE O SEU CARMA DO DINHEIRO

1. Ao perceber que está fazendo algo da lista do que não funciona, pare imediatamente. Esse é o passo mais importante.
2. Não lute contra impulsos de preocupação, autocrítica, pensamentos ilusórios, negação e outros. Em vez disso, recolha-se por algum tempo até se sentir calmo e centrado.
3. Sempre que estiver se sentindo bem e com tempo para refletir, releia a lista das opções positivas. Selecione uma mudança que você realmente possa fazer, pensando detidamente sobre uma das seguintes perguntas:

   - Como posso ter uma percepção clara de que algo é um desafio?
   - Existe alguma coisa sobre a qual preciso ser honesto?
   - Onde posso receber bons conselhos?
   - No que realmente necessito persistir?
   - Eu acredito que uma solução é possível?
   - Eu confio que vou encontrar a solução?
   - Estou sendo realista sobre onde estou e qual é minha situação?
   - Consigo estar mais aberto a novas escolhas?
   - Como posso ser mais responsável?

4. Uma vez escolhida a pergunta, deixe que ela penetre em você. Essas perguntas não são fórmulas, mas

> canais de comunicação com o eu verdadeiro. Apenas mantenha-se tranquilo. Não lute nem se esforce para obter uma resposta.
> 5. Agora espere pela resposta. Ela virá quando você estiver profundamente concentrado. Virá como uma mensagem, uma descoberta ou simplesmente como uma nova direção se abrindo para você.
> 6. Quando sentir a resposta, comece a agir. Tudo que você fizer deverá estar alinhado com o seu bem-estar e os seus valores. O carma do dinheiro não melhora através de preocupações, obsessões, culpas e escolhas motivadas pelo pânico. Só melhora quando aprendermos a confiar na consciência profunda.
> 7. O eu verdadeiro está sempre do nosso lado; estar alinhado com ele nos afasta do nível do problema e nos aproxima do nível da solução – isso é o que importa. Ao longo deste livro, você verá como se conectar com o eu verdadeiro.

UM PARADOXO

Existe uma confusão entre dinheiro e carma que deve ser mencionada. O carma pessoal consiste em padrões repetitivos que podem ser mudados. Ao expandir a consciência, expandimos as nossas opções. Ao expandirmos as nossas opções, novas oportunidades se abrem, e novas oportunidades trazem novas soluções. Essa é a síntese de uma estratégia baseada no real funcionamento da consciência.

Mas existe um bloqueio cármico coletivo e social com o qual todo mundo nasce. O dinheiro cria a ilusão fundamental. Enquanto estamos presos a essa ilusão, o dinheiro não é só almejado, mas também temido. Ninguém enriquece quando tem esse medo. Psicólogos conhecem bem esse paradoxo, essa contradição interna: desejar e temer alguma coisa simultaneamente. Só conseguimos nos livrar das ilusões em torno do dinheiro quando escapamos desse paradoxo.

Shakespeare aborda um importante ensinamento da Ioga no último verso do "Soneto 64". O poema fala da resignação melancólica. Começa anunciando um lugar-comum: riqueza e poder, por maiores que sejam, são transitórios. O mar avança constantemente na praia, as mais altas torres viram escombros. No final, o soneto foge do lugar-comum para se tornar psicológico:

> [...] *o tempo virá e levará o meu amor.*
> *Este pensamento é como a morte, sem outra escolha*
> *Senão lamentar ter o que se teme perder.*

O paradoxo não poderia ser expresso de maneira mais sucinta. O desejo nos faz correr atrás do que nos agrada e, uma vez obtido, surge automaticamente o medo de perdê-lo. Esse paradoxo é universal? Era o que pensava Shakespeare, e a Ioga concorda. A diferença é que hoje sabemos que o paradoxo é uma grande ilusão, mas também a chave para encontrar a saída.

O caminho é evidente: não almeje o dinheiro e não tenha medo dele. Nosso tempo, nossos pensamentos e nossa energia devem permanecer no momento presente, no qual flui a inteligência criativa. Esse ensinamento é tão claro que chega a ofuscar. Quem escolheria a ilusão em vez da realidade? Infelizmente, "todos nós". A fixação no dinheiro é um mero prolongamento da fixação no materialismo. Uma decorre da outra. Quem vive focado em obter mais coisas materiais bloqueia a via da consciência.

Para o budismo, a via da consciência envolve pensamentos corretos, velocidade correta, ações corretas e um jeito correto de viver. A Ioga incluiu tudo isso em seus ensinamentos do darma, e o darma não é materialista. O sucesso depende de estar alinhado com os valores humanos abraçados pelo budismo. Sem esses valores, a acumulação de dinheiro merece sua reputação de não ser espiritual e, até mesmo, de se opor ao espiritual. Espero que você não pense mais assim. O que veremos adiante é a abundância em três aspectos da vida: na mente, no corpo e no espírito.

O DINHEIRO
E O TRABALHO

Quem vive do seu trabalho deve gostar do que faz – segundo uma pesquisa importante, a satisfação no trabalho, que já era alta, saltou de 81 por cento em 2013 para 88 por cento em 2016. Porcentagens tão altas sempre nos intrigam. Parecem indicar que praticamente todo mundo está feliz, o que não é verdade. Menos de um terço das pessoas se dizem satisfeitas, enquanto dois terços passam dificuldades ou apenas sobrevivem.

Por que tanta desigualdade? A resposta é a capacidade de adaptação. O trabalhador se adapta ao emprego que tem. Do ponto de vista de "fazer o que gosta", o trabalho deveria corresponder ao que cada um é. Mas, na maioria das vezes, não é o que acontece. Quem somos é o que menos importa. Só o que nos interessa é manter o emprego, fazer um bom trabalho e esperar por um aumento de salário. Para inverter tudo isso e fazer só o que gostamos, temos que começar pelo básico.

Em primeiro lugar, as ocupações mais satisfatórias não são necessariamente as mais bem pagas. Nos Estados Unidos, médicos costumam ganhar muito bem, e se forem cirurgiões ganham muito mais. Das quinze categorias profissionais consideradas mais satisfatórias, a dos médicos ocupa a 11ª posição e a dos cirurgiões está ainda mais abaixo, na 14ª posição, acima somente da categoria dos professores. Os primeiros da lista surpreendem: são os clérigos. Em segundo lugar estão as funções muito bem remuneradas dos executivos de grandes empresas, seguidas dos quiropráticos (na posição número 3) e dos bombeiros (número 6). Policiais não aparecem nessa lista.

O que conta de fato nem é tanto o que se faz ou o cargo ocupado, mas as condições de trabalho. É o que a psicologia social tem estudado. Para saber por que gostamos ou odiamos o que fazemos para ganhar a vida, levemos em conta os seguintes fatores:

CONDIÇÕES DE TRABALHO SATISFATÓRIAS

O trabalho satisfaz quando proporciona coisas que são fundamentais:

- ☐ Dinheiro (até certo ponto)
- ☐ Baixo nível de estresse
- ☐ Segurança
- ☐ Bom relacionamento com os colegas
- ☐ Sensação de ser ouvido
- ☐ Lealdade e apoio por parte dos superiores
- ☐ A chance de ajudar os outros
- ☐ Oportunidades de progredir
- ☐ Cultura corporativa positiva
- ☐ Tarefas diárias desafiadoras
- ☐ A oportunidade de ser bom no que se faz

Avalie o seu trabalho por essa lista: quanto mais itens forem marcados, mais feliz você está com o que faz. Mas lembre-se de que listas e gráficos não são representações fiéis da natureza humana.

De uma maneira ou de outra, muita gente consegue trabalhar com chefes terríveis. Outros fazem trabalhos tão rotineiros e mecânicos que nunca têm a chance de enfrentar novos desafios, mas compensam isso criando um ambiente de trabalho positivo e fazendo excelentes amizades. Duas operadoras de caixa de supermercado que conversam uma com a outra o dia todo podem se sentir mais satisfeitas que um médico que atende inúmeros pacientes e preenche montanhas de fichas em uma sala fechada.

Estar alinhado com a inteligência criativa se resume a alguns aspectos práticos no ambiente de trabalho. A inteligência criativa diz respeito a buscar melhores soluções não só para si, mas para os que estão a nossa volta. Isso não é pensamento mágico. Todo mundo tem um nível de consciência capaz de encontrar soluções; agindo a partir desse nível, fluímos com a inteligência criativa. Se fizermos o oposto, ficamos presos no nível dos problemas, das queixas, das preocupações e da culpa.

Agora que já conhecemos os elementos mais importantes da satisfação no trabalho, podemos melhorar o ambiente em que trabalhamos. Aplicar desse modo as nossas energias é melhor do que reclamar, alimentar ressentimentos ou aceitar passivamente certas situações. Agir é sempre fortalecedor, e é nesse clima que devemos trabalhar; caso contrário, procure outro emprego o mais rápido possível.

SALÁRIO

Devemos fazer o que está de acordo com nosso valor. É um objetivo muito mais saudável psicologicamente do que querer cada vez mais dinheiro. Salários injustos nos deixam muito mais insatisfeitos do que qualquer outra coisa. A empresa que não paga salários justos não respeita seus funcionários.

O dinheiro engana, pode-se ganhar bem sem que a situação melhore. Isso em geral acontece quando a pessoa está tão endividada (principalmente no cartão de crédito) que as finanças passam a ser uma fonte de eterna preocupação. Aceite isso e assuma a responsabilidade por uma situação que você mesmo criou.

A melhor maneira de assumir a responsabilidade é em nível consciente. Não espere que o dinheiro faça o que não pode.

- Ter mais dinheiro não ajuda a suportar um trabalho ruim.
- Ter mais dinheiro não torna você melhor do que pessoas que ganham menos.
- Ter mais dinheiro não lhe dá autoestima.
- Ter mais dinheiro não faz as pessoas gostarem mais de você, mesmo que finjam isso muito bem.

Se as frases acima se aplicam a você, mudar essas atitudes significa assumir a responsabilidade de colocar o eu verdadeiro à frente do salário, por mais alto que seja.

BAIXO NÍVEL DE ESTRESSE

O estresse laboral é provocado por fontes bem conhecidas: pressão dos prazos, sobrecarga de trabalho, realização de várias tarefas ao mesmo tempo, barulho excessivo e sentimento de insegurança. O estresse tende também a se espalhar e contagiar a todos. Para reduzi-lo, temos que fazer duas coisas: identificar os elementos estressantes e não estressar os colegas.

O ambiente de trabalho ideal é silencioso e agradável, onde todos estão focados no que fazem e não são pressionados desnecessariamente. Isso não é pedir muito. Cada um é seu próprio juiz porque os locais de trabalho nunca são iguais. O escritório silencioso de um contador tem pouquíssima semelhança com uma construção barulhenta. O juiz supremo é o corpo-mente, o sistema holístico no qual corpo e mente são um só. Se você não consegue dormir o suficiente, vive preocupado com prazos, precisa beber depois do expediente, guarda ressentimentos, fica irritado e impaciente com facilidade, anda sem apetite, está muito cansado e emagrecendo, saiba que esses são sinais básicos de alto nível de estresse e que algo precisa ser feito para remediar a situação.

Quanto a não estressar os outros, a fórmula é simples: pense nas atividades que o deixam estressado e, uma vez consciente delas, não as delegue a colegas ou a pessoas subalternas a você. A palavra-chave aqui é pressão. Fique atento para a sensação de muita pressão e faça alguma coisa a respeito, em vez de passá-la adiante.

SEGURANÇA

Depois da preocupação com a falta de dinheiro, o que mais deixa as pessoas ansiosas é o sentimento de insegurança no emprego. Até no Japão, onde outrora os funcionários eram contratados por toda a vida, essa prática corporativa se deteriorou. Fundos de pensão foram esvaziados e os trabalhadores aceitaram perder direitos, em grande parte por medo de ficarem desempregados. Individualmente, você e eu nada podemos fazer a respeito das práticas corporativas, mas nas últimas duas crises econômicas, a Grande Recessão de 2008 e o desemprego massivo provocado pela pandemia de covid-19, ficou evidente que foram as pequenas empresas as que mais pensaram no bem-estar dos funcionários, diminuíram custos e fizeram o possível para mantê-los trabalhando.

O papel de cada um como empregado é procurar a empresa em que trabalha e se informar sobre a sua situação profissional, com muita clareza. Os patrões estão atentos? O bem-estar dos funcionários é uma preocupação? Os colegas se sentem seguros no emprego? Pergunte a eles. Em seguida, avalie a importância que a segurança tem para você. Em certas ocupações, como em restaurantes, por exemplo, a fluidez é natural, enquanto em outras, como no serviço público, o principal atrativo é a segurança de jamais perder o emprego.

Examine a sua atual situação realisticamente, mas sem deixar de olhar para o futuro. Os Estados Unidos são um país com poucas redes de proteção social, consumidores muito endividados, que comem muito fora de casa, poupam pouco e têm escassa proteção das organizações sindicais. Com esses fatores em jogo, e apesar de a covid-19 ter ceifado muitas vidas, as pessoas estão vivendo mais; por essa razão, para muita gente é apenas realista aceitar numa idade precoce, décadas antes da aposentadoria, que terá que ganhar o próprio sustento por mais dez, vinte ou trinta anos para poder se aposentar aos 65. O quadro é muito mais grave se considerarmos os valores a serem economizados por cada grupo etário, recomendados por especialistas financeiros, incluídos aí os cálculos do governo:

- Norte-americanos na faixa dos 30 anos: recomenda-se uma a duas vezes o salário anual
versus
Poupança média atual: US$ 21 mil a US$ 48 mil;

- Norte-americanos na faixa dos 40 anos: recomenda-se três a quatro vezes o salário anual
versus
Poupança média atual: US$ 63 mil a US$ 148 mil;

- Norte-americanos na faixa dos 50 anos: recomenda-se seis a sete vezes o salário anual
versus
Poupança média atual: US$ 117 mil a US$ 223 mil;

- Norte-americanos na faixa dos 60 anos: recomenda-se oito a dez vezes o salário anual
versus
Poupança média atual: US$ 172 mil a US$ 206 mil.

Como regra prática, deveríamos poupar entre 10 e 15 por cento da nossa renda anual a partir dos 20 anos para receber 80 por cento da renda anual quando nos aposentarmos. Essa é a orientação financeira padrão.

Não importa a faixa etária – uns poupam mais, outros menos que a média –, é responsabilidade de cada um garantir o próprio futuro. Segundo pesquisas de opinião pública, a grande preocupação dos mais velhos não é com a saúde ou a morte, mas se tornar um peso para os filhos. A cada dia esse pesadelo se torna realidade para milhões de pessoas, devido aos baixos valores das poupanças, aos planos de pensão inadequados, ao alto custo de vida e às despesas exorbitantes com o tratamento de pacientes com Alzheimer (e também de idosos saudáveis). A fim de não contribuir com as estatísticas negativas, a resposta é a mesma para todos os aspectos envolvidos no dinheiro: só podemos mudar aquilo de que temos consciência. Sem consciência, ficamos presos a circunstâncias fora de nosso controle.

BOM RELACIONAMENTO COM OS COLEGAS

Esse ponto é autoexplicativo, pois se dar bem com os colegas é mais desejável do que o oposto. Há, porém, algumas exceções. É impossível conviver com pessoas de personalidade difícil. Outras são tão egoístas que não se importam com mais ninguém, ou tão competitivas que não se pode confiar nelas. Fofocas de escritório são tão destrutivas quanto romances de escritório. Resumindo, o local de trabalho é tão complexo quanto a natureza humana.

O seu papel não é ser um dos tipos negativos aqui mencionados. A norma deve ser a cooperação amigável entre colegas. E os nossos relacionamentos se tornam melhores quando:

- ouvimos o outro;
- não demonstramos favoritismos nem escolhemos lados;
- elogiamos um colega por algo bem-feito;
- ajudamos quem está estressado ou se sentindo pressionado;
- somos respeitosos;
- nos afastamos de fofocas e da politicagem de escritório;
- procuramos ouvir outras versões de um fato, mesmo discordando delas;
- lembramos que cada um tem uma história e acredita nela.

A lista parece extensa, mas, no fundo, todos os itens resultam do fato de a pessoa estar consciente. Saber como funciona o grupo psicológico do qual fazemos parte nos ajuda a agir de acordo com a nossa consciência. Poucas pessoas têm flexibilidade psicológica suficiente para reavaliar os seus relacionamentos quando as dificuldades aparecem, por isso o melhor conselho é prevê-las e evitá-las.

SENSAÇÃO DE SER OUVIDO

Estudos sobre a satisfação no trabalho classificam esse item como mais valorizado do que a maioria de nós o faria, porque sempre há um desequilíbrio nas prioridades do ego: o que eu digo é sempre mais importante do que o que os outros dizem. Mesmo quando esse fator não é predominante, esquecemos com facilidade que todos querem ser tão ouvidos quanto nós.

Se os seus superiores não o ouvem, não há sinal mais óbvio de que você está no lugar errado. Quando o chefe se recusa a ouvir você e o que tem a contribuir, você é absolutamente descartável e logo aflorarão sentimentos de frustração, ressentimento e desânimo.

LEALDADE E APOIO
POR PARTE DOS SUPERIORES

Ocupações de todo tipo, com pouquíssimas exceções, são organizadas em hierarquias. Sempre haverá alguém acima (a menos que você seja o dono da empresa ou um alto executivo) para limitar a sua independência e liberdade, porque é assim que as coisas funcionam. Para se sentir confortável em qualquer posição de uma hierarquia, é preciso confiar naqueles que estão acima de você. É a compensação por dar a eles poder sobre você.

A maioria das pessoas aceita passivamente situações em que essa troca é desequilibrada: espera-se que sejam leais a superiores não confiáveis, inconstantes, arbitrários, inacessíveis ou que exercem o poder de maneira injusta. Se você se encontra numa posição de chefia, deve evitar essas armadilhas. Já diante de seus superiores, leve a sério esse acordo tácito entre patrões e funcionários. Se o acordo não lhe agrada, talvez você esteja no emprego errado. Relatar uma injustiça a um chefe ou a um gerente desse tipo raramente melhora a situação e só provoca represálias.

A CHANCE DE AJUDAR
OS OUTROS

Religiosos, enfermeiros e fisioterapeutas estão entre os profissionais mais satisfeitos com o que fazem porque têm algo em comum: eles cuidam dos outros. Cuidam porque têm empatia e querem ajudar. Uma situação diferente é a dos cuidadores de pacientes com Alzheimer, em que o fardo é constante, os resultados são inúteis e a reação da pessoa cuidada é insignificante ou coisa pior. É um desafio considerável para a nossa sociedade o fato de a expectativa de vida desses cuidadores de pacientes com demência ser menor, entre cinco e oito anos, devido ao alto grau de estresse diário.

A grande maioria das profissões não envolve cuidar de outras pessoas, mas em todo trabalho a solidariedade e a atenção devem estar presentes. Devemos aproveitar todas as oportunidades que surgirem para demonstrar que nos importamos com o outro, seja com um sorriso, seja com um elogio. Não é preciso seguir fórmulas ou rituais, basta ser sincero. A vida moderna contribui para o isolamento e o sentimento de solidão, particularmente entre os mais pobres e os mais velhos. Lembre-se sempre disso, porque o nosso bem-estar também depende da atenção que recebemos dos amigos, da família, dos colegas de trabalho e de grupos de apoio. Quando damos atenção ao outro, a probabilidade de recebermos atenção no futuro quando precisarmos será muito maior.

OPORTUNIDADES DE PROGREDIR

Anos atrás, conheci um magnata da mídia raro; ele era diferente porque não causava inveja, animosidade, temor ou ressentimento naqueles que estavam à sua volta. Se existia alguém amado por todos os funcionários, esse homem era ele. Seu segredo: queria que todos prosperassem tanto quanto ele. Dizia que o seu sucesso se devia ao fato de dar aos seus leais colaboradores oportunidades de progredir.

Imagino que um comportamento como esse seja raro hoje em dia. Algumas grandes empresas, particularmente no Vale do Silício, criaram culturas corporativas que oferecem a seus funcionários todo tipo de comodidade no local de trabalho. No nível individual, a necessidade de estar entre os primeiros atende aos propósitos do ego. Mas se todos querem chegar na frente, agindo como indivíduos isolados e egoístas, essa é uma das piores maneiras de vencer.

Cabe a cada um de nós trabalhar naquilo que nos dá chances de progredir – o que não é fácil para as mulheres. É quase um desafio e explica por que há tanta fluidez no mercado de trabalho norte-americano. A tendência, contudo, não está a nosso favor. A mobilidade ascensional declinou nos Estados Unidos, e outros países, como os da Escandinávia, são os que hoje oferecem mais oportunidades de ascensão. A mobilidade também é desequilibrada entre homens brancos: há várias décadas, há menos oportunidades para quem tem apenas o ensino médio. Um homem negro com o mesmo grau de escolaridade terá metade das chances de evoluir profissionalmente.

Vendo as oportunidades de maneira realista, muitas pessoas estão resignadas com empregos relativamente estáveis que oferecem poucas oportunidades de progredir. Temos que avaliar muito bem as nossas expectativas diante da situação em que nos encontramos. Mas também ter em mente o magnata que mencionei acima. Dar oportunidade a outros é uma estratégia vitoriosa. Um por todos e todos por um é uma boa maneira de avançar. Encontre pessoas confiáveis e as alianças, as conexões e as redes serão atividades normais na sua vida profissional.

CULTURA CORPORATIVA POSITIVA

A cultura corporativa vem mudando, a partir de um ponto muito baixo e até degradante. Os heróis do capitalismo norte-americano emergiram de uma tradição brutal de exploração do trabalhador. Quando Henry Ford construiu seu primeiro carro em uma montadora em River Rouge, perto de Detroit, em 1928, o ambiente de trabalho era desumanamente barulhento, estressante, terrivelmente monótono e mal pago. Mesmo assim, lemos muito mais sobre o sucesso do Modelo T e do Modelo A da Ford do que sobre a tenebrosa cultura corporativa de onde esses carros saíram.

Os empregos que mais oferecem benefícios são muito valorizados hoje em dia; 99 por cento dos trabalhadores invejam o 1 por cento que trabalha para a Google ou a Apple, cujas condições são mais humanas e confortáveis. Mas até essas companhias estão envolvidas com fábricas chinesas clandestinas que exploram o trabalhador tanto quanto as dos Estados Unidos.

Individualmente não é possível influenciar a cultura de uma empresa, a menos que se ocupe um alto cargo na hierarquia. O papel de cada um de nós é valorizar o bem-estar à frente do dinheiro. Devemos trabalhar onde nos sentimos mental e fisicamente bem. Merecemos, no mínimo, condições de trabalho nesse nível. Se existem problemas, considere trabalhar em esquema de *home office* ou mudar de emprego. Só se apega a uma cultura corporativa negativa quem é motivado pelo medo e pela insegurança. Não faça isso; seja motivado pelo seu bem-estar – é para isso que serve este livro.

TAREFAS DIÁRIAS DESAFIADORAS

A satisfação profissional tem adquirido tanta importância graças ao declínio das rotinas de trabalho exaustivas. Por mais que a transição seja dolorosa, reaparelhar as fábricas com robôs que façam o grosso do trabalho rotineiro é ajudar a sociedade a retomar o rumo correto. Nos Estados Unidos, cerca de 37 por cento das tarefas podem ser executadas em casa, em um ambiente muito mais agradável do que no escritório.

Mas erguer o chão não é o mesmo que se aproximar do céu. A consciência humana cresce com os desafios, mas só se eles forem criativos. Resumindo, essa é a nossa meta. Comparadas a isso, dinheiro, responsabilidade, *status*, poder e prestígio são compensações medíocres. O impulso para ser bem-sucedido obriga as pessoas a priorizar promoções em vez da criatividade, e essa é uma péssima escolha.

O que é um desafio criativo? É tudo que nos permite expandir nossos dons e talentos. São possibilidades que nos ajudam a crescer e progredir, fazer melhor o que já fazemos bem ou nos desenvolver em novas áreas que nos atraiam. Não é preciso ser artista. Onde soluções e inovações são valorizadas, sobram desafios criativos.

Infelizmente, a sociedade não nos ensina sobre os reais perigos da monotonia e da exaustão. Médicos são muito valorizados socialmente, mas a prática da medicina tem altíssimos índices de abuso de drogas e *burnout*. Há poucos desafios criativos quando os dias são tomados por pacientes ansiosos que serão tratados da mesma maneira, com os mesmos medicamentos e procedimentos. (Falo por experiência própria, pelos anos iniciais de pré-esgotamento em que atuei como endocrinologista em Boston. Minha salvação foi encontrar uma maneira criativa de trabalhar na área da saúde, caminho que praticamente não vi ninguém seguir entre os jovens médicos que conheci. Eles eram tão inseguros quanto eu, mas negavam isso muito mais que eu.)

Faça algo novo todos os dias e se sentirá renovado. Isso não é fantasia. As células do nosso corpo são constantemente renovadas. Não merecemos essa renovação tanto quanto uma célula do fígado ou do estômago? Pense nisso.

A OPORTUNIDADE DE SER BOM NO QUE SE FAZ

Ser bom no que faz é um desejo natural em todo ser humano. O trabalho bem-feito atrai respeito, admiração e um bom tratamento por parte das pessoas. Mas é fácil exorbitar. Se nos identificamos com o trabalho, os outros setores da nossa vida se atrofiam. É comum encontrar pessoas que vivem só para trabalhar: fazem jornadas longas, levam serviço para casa, buscam a perfeição – todos esses são sintomas de uma condição problemática. A ambição não é uma virtude.

Podemos abordar essa questão de outra maneira. Um planejamento de horários contribui para o seu bem-estar se houver espaço para você:

- movimentar-se e alongar o corpo por cinco minutos, de hora em hora;
- ter tempo para falar pessoalmente com alguém do seu convívio (não por meio de mensagem de texto ou e-mail);
- ficar alguns momentos sossegado, sozinho;
- fazer algo que funcione como recreação;
- ter momentos de recolhimento, meditar ou praticar ioga.

Se o nosso dia não incluir nenhum desses elementos, ou se eles forem considerados um luxo ocasional, não estaremos investindo no nosso bem-estar. É claro que a organização do tempo não é tudo, nem todo-poderosa. Os relacionamentos têm um valor que extrapola qualquer agendamento, mas na prática ninguém tem uma relação gratificante se não tiver tempo para se dedicar a ela.

Então, quando nos perguntamos o que significa ser bom no que fazemos, devemos observar como transcorrem os nossos dias. Se você se sente premido por horários, passa os dias preocupado com o trabalho e sobrecarregado de tarefas e demandas, você é uma vítima do seu tempo. Do ponto de vista da inteligência criativa, sempre há tempo para fazermos o que nos traz bem-estar. Confie nisso e estará no caminho certo para tornar agradáveis todas as horas do seu dia, e não só o período em que está trabalhando.

O FLUXO DA INTELIGÊNCIA CRIATIVA

Estar no darma abre um caminho para um aspecto dinâmico da consciência a que chamamos de "inteligência criativa". A Ioga ensina que a consciência pura não é estática. Ela vibra com a vida e a partir de si mesma é impelida a emergir na criação física, ou seja, no universo. O fluxo da inteligência criativa organiza os seres vivos sobre o planeta, mas entre todas as formas de vida somente o ser humano tem acesso consciente a ela, e é isso que temos feito há milênios.

Quando atravessamos o canal do nascimento, não trazemos nenhuma memória da vida intrauterina, nenhuma memória da jornada de uma célula fertilizada até o bebê recém-nascido. Da mesma maneira, perdeu-se na memória humana quando foi que aprendemos a criar. Quero dar aqui o que talvez seja o exemplo mais antigo da memória humana, o ato criativo que tornou possível o surgimento da civilização. Todo animal foge do fogo que irrompe na floresta quando cai um raio. Por que o *Homo erectus*, em vez de correr com os outros animais, imaginou que o fogo poderia ser domado? Que transformação mágica fez o medo se tornar engenhosidade?

A antropologia não tem essa resposta. Durante muito tempo, considerou-se o uso do fogo o principal marco evolutivo do *Homo sapiens*, um enorme cérebro superior. Dentre todas as espécies, o cérebro humano é de longe o maior em relação ao tamanho do corpo. Mais tarde começaram a surgir vestígios de cinzas de madeira queimada em locais que haviam sido habitados pelo *Homo erectus*, cujo cérebro era muito menor. Em vez da estimativa anterior de que o fogo foi controlado por volta de 100 mil anos atrás, antes das antigas pinturas rupestres com 70 mil anos, arqueólogos encontraram cinzas em sítios com 1 milhão de anos, que antecedem o *Homo sapiens* entre 800 mil e 970 mil anos. Essa data de 1 milhão de anos é a mais aceita, mas também há relatos de depósitos de cinzas muito mais antigos que remontam a 2 milhões de anos.

Nossos ancestrais hominídeos não precisaram ter um córtex cerebral grande como o nosso para domesticar e usar o fogo; precisaram apenas estar conscientes, ou seja, usar a inteligência criativa. Essa é a perspectiva da Ioga, que ensina que a consciência é autocentrada, auto-organizada e autossuficiente. A inteligência criativa espontaneamente vai nos levando para a próxima descoberta. O que a inteligência criativa pode fazer, e ela pode tudo, nós também podemos. Essa relação jamais se rompe.

A eletricidade moderna é a atualização daquele primeiro movimento para domesticar o fogo, assim como *smartphones* e computadores são atualizações de uma habilidade mental desenvolvida na Idade da Pedra: contar. Artefatos do período Neolítico são pedras marcadas por buracos enfileirados – supõe-se que esses entalhes permitiam o comércio de bens entre tribos. Buracos enfileirados só fazem sentido como representações de numerais. Não existem números na natureza. Eles são constructos criativos inventados pelos seres humanos.

O DINHEIRO COMO EVOLUÇÃO

Toda a nossa vida está inserida no fluxo da consciência. Nós pensamos, sentimos, falamos e agimos. Cada uma dessas atividades requer uma mente consciente. Quando a Ioga foi formulada na Índia milhares de anos atrás, e provavelmente bem antes disso, os antigos buscadores não tinham matéria-prima com que trabalhar, nem departamentos de psicologia, institutos de pesquisa, manuais ou especialistas em que se basear – tinham somente o que brotava de suas mentes. É um milagre que esses exploradores do mundo "aqui dentro" tenham feito descobertas dignas de um Einstein. Ainda hoje a psicologia ocidental tem um longo caminho a percorrer para recuperar seu atraso em relação a eles.

Uma descoberta fundamental foi que a consciência quer evoluir. Por ser criativa, ela flui na direção da curiosidade e da descoberta. O que alimenta esse impulso é o júbilo que se segue a uma nova descoberta – crianças não escondem a alegria quando encontram algo de que gostam. Além de proporcionar prazer, as novas descobertas acrescentam valor e significado à vida – pergunte a quem está sentindo o entusiasmo inicial do enamoramento, uma descoberta que por algum tempo supera qualquer outra quando se está apaixonado e nas nuvens.

O amor pode surgir do nada e nos atingir como um raio, mas na maior parte do tempo temos escolha. Podemos optar por nos envolver ou por recuar. Eis um diagrama simples que a física aplica ao universo e tudo o que existe nele.

CRIAÇÃO

←——— ENTROPIA EVOLUÇÃO ———→

Ao longo de toda a criação, desde seu início, duas forças invisíveis agem em direções opostas. A primeira é a força da evolução, que, a partir de uma energia caótica e rodopiante que é produzida imediatamente após o *big bang*, cria estruturas complexas como átomos, moléculas, estrelas e o planeta Terra. Na outra direção age a entropia, destruindo estruturas e provocando deterioração, dissolução e perda de energia.

A Ioga ensina que a consciência humana é empurrada em direções opostas por essas mesmas forças – a ordem e o caos. A evolução da consciência domina a história do *Homo sapiens*. Apesar dos efeitos entrópicos das guerras, doenças, desastres naturais e psicoses, que boicotam a evolução e puxam a existência para o declínio, o fluxo da inteligência criativa se dá sempre no sentido da evolução. Isso inclui o dinheiro, que há 5 mil anos tornou possível a civilização através do comércio. Mas o progresso sempre cobra seu preço.

Dentro de nós, entropia é tudo que sabota a nossa inteligência criativa: comportamentos inconscientes, hábitos, condicionamentos, inércia, estreiteza, desatenção e preguiça. Precisamos de mais um diagrama para representar a condição humana, o lugar que você e eu ocupamos no teatro da vida.

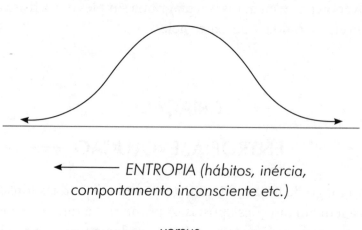

A CONDIÇÃO HUMANA

⟵ ENTROPIA (hábitos, inércia, comportamento inconsciente etc.)

versus

INTELIGÊNCIA CRIATIVA ⟶

Estamos posicionados sob uma curva em forma de sino. A grande maioria das pessoas está concentrada no meio. Aqui há um misto de entropia e evolução ou, como se diz, "são dois passos para a frente e um para trás". Porque a vida para a maioria é repleta de escolhas inconscientes, hábitos, condicionamentos, preconceitos, medos, esperanças e sonhos, os seus impulsos inconscientes são fortes e causam entropia, isto é, desperdício de tempo, dinheiro, investimento emocional e emoções. Também há evolução, porque criamos, amamos, nos inspiramos e sentimos prazer na parte da vida que é consciente.

A Ioga ensina que é possível ampliar as escolhas conscientes. Quando isso acontece, nós nos afastamos do meio da curva e aceleramos a evolução. Do lado mais estreito da curva à direita, onde a evolução avança mais, estão os gênios, os santos, os sábios, os artistas e os visionários. É como se eles tivessem alcançado o topo da montanha, guiados pela consciência pura. Sem aspirar nos igualarmos a eles, todos nós podemos evoluir; não se trata de uma evolução darwinista, que é física, mas de uma evolução da consciência.

Por ter se originado na consciência, o dinheiro também toma duas direções: para o desperdício e a perda ou para o ganho e a criatividade. Numa abordagem prática, pois o dinheiro é muito prático, veja como são as escolhas entrópicas, que não nos levam aonde queremos ir.

ENTROPIA: COMO GANHAR DINHEIRO DE MANEIRA ERRADA

SETE ATITUDES QUE NÃO FUNCIONAM

1. Ter fantasias com o dinheiro

Para muitos, o dinheiro é um sonho, e ficar rico é uma bela fantasia. Isso não funciona porque a realidade e a fantasia nunca são iguais. Milionários nunca dizem que sua riqueza é a realização de um sonho, e mesmo assim alimentamos fantasias.

2. Encarar o dinheiro como um fim em si mesmo

Não há dúvida de que ter dinheiro é meio caminho andado para uma vida melhor. Mas se obtê-lo se tornar uma obsessão, em algum momento ele tomará o lugar da real satisfação. Seja rico, seja pobre, quem dorme e acorda pensando em fazer dinheiro abre um profundo fosso entre o dinheiro e a felicidade.

3. Ter medo da pobreza

Querer e não ter é uma fonte de sofrimento; quem já sofreu por ser pobre não quer voltar a sê-lo. Mas se a motivação é o medo de voltar a ser pobre, a pobreza continua presa à pessoa. A ansiedade nunca tem a ver com mais felicidade.

4. Usar de trapaça, desonestidade, mentira

A sociedade não esquece os malfeitores que enriqueceram de maneira ilícita, e, a menos que sejam desmascarados e condenados à prisão, eles continuam a se orgulhar de terem enganado o sistema. Não são como os otários que agem honestamente. Mas, na verdade, ao menos é mínima a porcentagem de quem não tem consciência do que faz. A desonestidade gera culpa e, assim como a ansiedade, quem tem culpa não é feliz.

5. Trair as próprias convicções

Com exceção dos que mentem e trapaceiam, muita gente sente que é obrigada a ter um trabalho mecânico, enfadonho e insatisfatório. Embora acreditem que são pressionadas pelas circunstâncias a aceitar tal situação, no fundo essas pessoas estão traindo a si mesmas. Os dois valores centrais mais importantes são "Eu mereço ser feliz" e "Minha autoestima é alta". A menos que esses valores não sejam preservados, essas pessoas estão na direção errada.

6. Maltratar os outros

Pisar nos outros para seguir em frente nunca foi a coisa certa a fazer, e mesmo assim fazemos. O *ethos* de querer ser sempre o primeiro é muito forte. Ignoramos isso quando menosprezamos alguém, não percebemos o que o outro sente, queremos dominá-lo e adotamos o egoísmo como desculpa para o mau comportamento. Maltratar alguém para abrir caminho indica que, no fundo, sabemos que somos inadequados.

7. Ter "instinto assassino"
Se o que conta é vencer, os campeões são supercompetitivos. Têm o instinto de se aproveitar dos mais fracos e se excitam com o cheiro de sangue. Na realidade, poucos de nós conseguem prosperar num tanque de tubarões, e nem querem isso. Quem tem obsessão por vencer a qualquer custo é movido por um medo profundo de ser visto como perdedor. Não há vitória que faça esse medo desaparecer.

Quando se enumera tudo que as pessoas fazem de errado, percebe-se que é muito difícil evoluir na vida diária. Ficamos presos a um sistema de valores e a um estilo de vida que nos distanciam demais da satisfação. A prisão vai acontecendo ao longo do tempo, com a aceitação quase inconsciente de crenças errôneas. Quem não conhece arrimos de família que se sentem presos a empregos que odeiam? Por que é tão difícil vencer o medo de ficar desempregado? Você conhece alguém que já teve tudo na vida e perdeu?

Essas experiências, que todos temos, agem sobre nós ao longo da vida, consciente ou inconscientemente. O pior aspecto de tomar uma direção errada é se sentir desamparado. Mas temos muito mais opções do que imaginamos. Podemos nos libertar se nos permitirmos adotar escolhas que não o trabalho. Podemos ganhar dinheiro e ao mesmo tempo aumentar nosso sentimento de alegria e bem-estar.

INTELIGÊNCIA CRIATIVA: COMO GANHAR DINHEIRO DE MANEIRA CERTA

SETE ATITUDES QUE FUNCIONAM

1. Ser autossuficiente

Vale a pena buscar a independência financeira, e é o que a maioria das pessoas espera ter conseguido quando a aposentadoria chegar. Mas ser independente interiormente é muito mais importante. A real autossuficiência é viver de acordo com nossos próprios valores, não ceder à opinião que os outros possam ter a nosso respeito e não duvidar de que somos autossuficientes.

2. Ter autorresponsabilidade

Quando culpamos os outros e influências externas por nossas dificuldades, abrimos mão do nosso poder pessoal. Responsabilizar-se pela própria vida é empoderar-se. Entramos em contato com o que deve ser mudado internamente e abrimos caminho para que a mudança de fato aconteça. Desistir da autorresponsabilidade nos imobiliza e nos vitimiza.

3. Ser cooperativo

A cooperação contraria o *ethos* de vencer a qualquer custo e querer ser sempre o número um. Apesar da fantasia de ser o grande vencedor, a vida não é um jogo de soma zero. Diferentemente de um campeonato esportivo, em que há um único vencedor e todos os demais são perdedores, a cooperação cria uma corrente contínua em que todos vencem. Almejar esse resultado também nos satisfaz quando ganhamos dinheiro para nós e também para os outros.

4. Ter ética profissional

A sociedade não está errada quando diz que é importante ter uma sólida ética de trabalho. Mas o que funciona mesmo é uma *boa* ética de trabalho ou, como ensina o budismo, o "trabalho correto". Trabalhar muito, por si só, raramente é sinônimo de trabalho correto se envolve excesso de esforço, canseira e adiamento da felicidade apenas para quando a aposentadoria chegar. Quem faz o que gosta para viver é feliz aqui e agora. Portanto, trabalhar demais não é trabalho.

5. Ser fiel a si mesmo
Sentir-se bem é um estado típico do eu verdadeiro e o melhor jeito de saber que não estamos agindo contra os nossos valores. Ser fiel a si mesmo é motivo da mais pura alegria. Quem se identifica com o ego está apoiado em bases precárias. O ego é um falso guia, porque jamais se afasta dos desejos, das desculpas, dos medos, da inveja e da culpa. Identifique-se com experiências que garantam uma satisfação segura.

6. Ser fiel aos seus valores essenciais
Valores tornou-se uma palavra politicamente carregada por se referir a crenças obstinadas e preconceitos escancarados. Os valores essenciais são diferentes. Envolvem amor, compaixão, verdade, lealdade, autoestima, humildade e crescimento pessoal. Lembre-se sempre de que os valores mais elevados nada significam enquanto não se tornam os *seus* valores mais elevados.

7. Ter foco e consciência
Não conseguimos mudar algo na nossa vida se esse algo não for consciente. Ter consciência é diferente de ser lógico e racional. A consciência não é pensada. É um dom, é a fonte de toda a criação. Temos que estar alinhados com o fluxo da consciência, e isso significa fazer escolhas cada vez melhores com o nosso tempo, os nossos esforços, as nossas emoções e o nosso dinheiro – todos são muito importantes.

Identificar o que funciona e o que não funciona é útil porque é prático. A maioria das pessoas repete comportamentos não funcionais por puro hábito. Elas nem sequer sabem por que agem assim. Comportamentos autodestrutivos são repetidos por inércia.

A melhor maneira de viver é no caminho da evolução; portanto, a melhor maneira de ganhar e usar o dinheiro também é. Mas essa é uma questão mais metafísica. O mistério oculto na inteligência criativa é: nós a usamos ou somos usados por ela? Essa pergunta faz todo o sentido se olharmos o desenvolvimento da criança. O bebê que está aprendendo a andar faz descobertas relevantes que não envolvem escolhas conscientes. Nenhum bebê que ainda engatinha pensa: "Hummm... essa gente grande consegue ficar em pé sobre duas pernas. Acho que vou tentar". Andar sobre os quatro membros funciona para todos os outros animais. Mesmo no mundo dos primatas, um gorila ou um chimpanzé, apesar de capaz de andar sobre duas pernas, só o faz por curtos períodos, preferindo usar também os membros dianteiros.

Nós, humanos, não temos essa escolha. Aprendemos a andar por impulso – um impulso da inteligência criativa utilizando-nos para seus próprios fins. Vemos no rosto da criança um misto de encantamento, medo e prazer quando dá os primeiros passos. Ela está recebendo um dom cuja aceitação é irresistível, apesar das muitas incertezas que envolvem o processo. Embora engatinhar seja mais seguro e, por não oferecer o perigo de uma queda, menos doloroso, nesse momento o bebê se arrisca a sentir dor para alcançar o domínio de uma habilidade que será imensamente útil no futuro. Ele não tem concepção de futuro, mas a inteligência criativa tem. Na verdade, ela sabe muito a respeito do futuro, o que é uma bênção. Cada passo que demos para dominar a linguagem, as habilidades motoras mais avançadas e os raciocínios mais complexos desabrochou em nós porque já havia um impulso interior a nos guiar.

A inteligência criativa é a consciência em ação; estando em contato com ela, recebemos recompensas impensáveis. Quando Einstein declarou que nenhuma grande descoberta da ciência pode acontecer sem um senso de deslumbramento, ele associou as mais altas conquistas da mente ao brilho nos olhos do bebê quando descobre como é maravilhoso andar.

CONSCIÊNCIA SIMPLES

Só podemos mudar o que for consciente. Isso é óbvio. É claro que não se pode mudar o que não for consciente. Entretanto, a consciência é uma poderosa máquina de mudança que muitos desconhecem. Vamos agora ampliar o nosso ponto de vista. A nossa atitude perante o dinheiro, como vimos, está misturada com o que queremos e tememos, sonhamos e desejamos. Por um momento, consideremos o quadro maior. A Ioga ensina que quanto mais sabemos sobre a consciência, mais claro fica o caminho do sucesso e do bem-estar.

O darma sempre mostra o caminho à frente. Inevitavelmente, é um caminho que envolve mudanças; portanto, o darma sinaliza onde a mudança vai ocorrer. A qualquer momento temos um súbito *insight* e a mudança acontece instantaneamente. Insisto que não há nenhum mistério nisso. Se de repente nos lembramos de que vamos encontrar alguém às três horas, corremos para a porta porque fomos movidos pela lembrança.

Há *insights* mais profundos que são mais raros. Mas sei de muitos casos em que as seguintes percepções mudaram a vida das pessoas que as tiveram:

- Sou adulto
- Pertenço
- Sou amado

- Sou digno de ser amado
- Sou bom no que faço
- Sou uma boa pessoa
- Sou autêntico
- Eu faço a diferença

São palavras simples, mas cujo impacto é capaz de mudar a vida, não porque as palavras tenham esse poder, mas porque mudam a consciência. Tais *insights* são mensagens da alma, do eu verdadeiro. Por nos dizerem algo verdadeiro e indelével sobre nós mesmos, a mudança que eles provocam é uma percepção que torna a nossa vida diferente desse momento em diante. Podemos fazer um bom trabalho a vida inteira para provar que somos boas pessoas, mas por dentro queremos convencer mais a nós mesmos do que aos outros. O *insight* de que somos, sem sombra de dúvida, boas pessoas não cria conflitos nem desperta incerteza. Então os bons trabalhos que fazemos acontecem naturalmente e só nos dão alegria.

O surgimento de uma mudança súbita não é algo que possamos planejar, controlar ou programar. A alma sabe escolher o momento para essas experiências que denominamos epifanias. Mas podemos criar um estado de consciência que abra o caminho para *insights* e revelações. Esse estado é chamado de consciência simples e pode ser alcançado sem grande esforço.

A consciência simples é o silêncio entre dois pensamentos, o vazio entre o final de um e o início de outro. No dia a dia, esse vazio surge e desaparece com tanta rapidez que nem sequer o notamos, mas na consciência simples sua duração é mais longa: em vez de um novo pensamento despontar instantaneamente, a mente silencia. Isso é mais do que apenas reiniciar a mente. É uma experiência que tem sabor próprio, assinatura própria. Com a explicação a seguir, você perceberá o que quero dizer.

A CONSCIÊNCIA SIMPLES É:

- quieta, calma, pacífica;
- satisfeita;
- relaxada;
- completa;
- aberta;
- não perturbada por pensamentos;
- sem lembranças;
- sem necessidades, desejos ou medos.

A consciência simples é básica. Não é uma meta que tenhamos que alcançar ou perseguir. Podemos vislumbrá-la quando nos deleitamos com uma boa refeição ou apreciamos uma obra de arte, ao ouvir uma peça de Bach ou ver uma criança brincar. Esses vislumbres provam um importante ensinamento da Ioga: a mente busca naturalmente a sua origem. Ela entra em contato com a alma, o eu verdadeiro, quando encontra uma oportunidade. Não é preciso convencê-la, e muito menos forçá-la, a isso.

A mente é tirada da consciência simples o tempo todo. Alguns diriam que a causa disso é o pensamento seguinte, mas não é verdade. O vazio entre um pensamento e outro muda constantemente, ora é profundo, ora é superficial. Quando estamos ansiosos, em pânico, excitados, agitados ou inquietos, os pensamentos voam e o vazio que se abre entre eles nos deixa em pânico, ansiosos, excitados, agitados ou inquietos. Enquanto nos sentimos assim, nada é profundo, não estamos calmos nem relaxados.

Há uma imagem iogue que ajuda a entender isso, baseada no arco e flecha. O arqueiro puxa a corda do arco e, quanto mais para trás ele consegue retesá-la, com mais velocidade e força a flecha é arremessada. É assim que a mente trabalha. Após um pensamento você puxa a mente para trás em direção ao silêncio, e a partir daí lança o próximo pensamento. Por isso falamos em "pensadores profundos", por reconhecer que, ao fazerem essa pausa entre um pensamento e outro, eles penetram mais profundamente na consciência do que as pessoas comuns. Mas não é o pensamento que é profundo; é a flecha, lançada da consciência profunda.

Com a meditação, o silêncio interior pode ser muito mais profundo porque, como vimos, a mente retorna naturalmente a sua origem, ela quer entrar em contato com a alma. O que precisamos é encontrar um modo de retornar à consciência simples, como ilustra o quadro a seguir.

COMO RETORNAR À CONSCIÊNCIA SIMPLES

A consciência simples é aqui e agora. Estamos ou aqui neste momento ou em qualquer outro lugar. A mente é empurrada para um estado da consciência que esconde o aqui e agora. É o que acontece quando divagamos ou nos distraímos. Os momentos de pensamentos negativos são os mais graves. Quem tem emoções negativas persistentes, como frustração, raiva, ansiedade ou depressão, não fica no presente. É o passado que volta para uma visita indesejada.

Vejamos três situações muito comuns e o que podemos fazer para voltar à consciência simples.

MONOTONIA E TÉDIO

Quando nos sentimos entediados e desanimados, não estamos na consciência simples. Sem querer, deixamos de estar presentes. O presente é criativo porque abre caminho para novos pensamentos, sentimentos e inspirações. A mente quer o aqui e agora naturalmente, a menos que se distraia. Quando perceber que está distraído, estressado ou desligado, volte para o seu centro.

A prática é bem simples. Encontre um lugar para ficar só, feche os olhos e respire profundamente. A seguir preste atenção na região do coração, no centro do peito. Inspire profundamente, enchendo de ar o abdômen e fazendo-o se expandir. Então expire devagar. Após soltar todo o ar, faça uma pausa contando 1, 2, 3. Repita.

A Ioga chama esse método de controle da respiração de Pranayama, e a medicina ocidental, de respiração vagal (o nome vem do nervo vago, que é muito importante na resposta do relaxamento). A técnica é uma das mais rápidas e eficazes para se centrar, relaxar e entrar na consciência simples.

CRENÇAS NEGATIVAS

A consciência simples é aberta, mas é comum descobrir que a nossa mente está cheia de reações automáticas. As pessoas se prendem a crenças enraizadas que são desanimadoras, autodestrutivas, críticas e geralmente negativas. Por exemplo, acreditam que:

- a vida é injusta;
- o mundo é um lugar ameaçador;

- para progredir é preciso transigir;
- ninguém além de mim vai ser o número um;
- vale tudo para chegar ao topo;
- nada de bom acontece na vida de gente simples;
- a vida é uma droga, e aí a gente morre.

Essas crenças se prendem na mente sem que saibamos de onde vieram ou por que devemos acreditar nelas. Elas vêm do passado e nos tiram do presente. E então a consciência deixa de ser simples e clara.

Outras crenças similares se manifestam em situações desafiadoras, como um primeiro encontro ou uma entrevista de emprego. Começamos a acreditar em pensamentos derrotistas porque eles nos controlam emocionalmente e nos impedem de enxergar as coisas com clareza e racionalidade. Por exemplo:

- Isso não vai acabar bem.
- Não vai dar certo.
- Sei que terei problemas.
- Não consigo lidar com isso.
- Não vou suportar.
- Por que cargas-d'água achei que isso ia funcionar?

Essas reações nascem do hábito. Refletem a crença de que não estamos prontos para enfrentar determinadas situações. Se pensamentos como esses estão bloqueando a sua visão, tente em primeiro lugar se centrar com a prática de controle da respiração que descrevemos acima.

Se ainda for difícil se acalmar e retomar o estado centrado, você precisará tomar algumas medidas de autocuidado. Mas isso não acontece imediatamente. Recupere a calma e o silêncio interior antes de começar a investigar as raízes do problema. Escolha qualquer uma dessas crenças negativas ou derrotistas e verá que elas se alojaram em sua mente porque encontraram as seguintes condições ilusórias com as quais todos nos confrontamos.

- Acreditamos na primeira pessoa que nos disse algo.
- Acreditamos em coisas que são repetidas com frequência.
- Acreditamos em quem confiamos.
- Não ouvimos uma crença contrária.

Quando perceber que está preso em uma crença negativa sobre si mesmo, algo que esteja lhe fazendo mal, pergunte-se:

- Quem me disse isso pela primeira vez?
- Isso foi repetido muitas vezes?
- Por que acreditei em quem me disse isso?
- Tenho motivos para acreditar no contrário disso?

Em outras palavras, você tem em primeiro lugar que reverter a experiência que o prendeu a uma crença. Revendo o passado, você perceberá como sua mente enganchou.

Se a sua mãe disse que você era feio ou seu pai disse que você era preguiçoso, por que automaticamente acreditou neles? Não importa quantas vezes você ouviu essa opinião deles no passado. Hoje você é adulto e consegue distinguir o que é fato e o que é opinião. Volte ao passado e reflita sobre experiências que indicavam quão atraente você é aos olhos de outras pessoas ou quanto se dedicou a fazer bem o que gosta. Reverter velhas impressões é, por si só, terapêutico, e permite retornar à consciência simples.

LEMBRANÇAS RUINS

Talvez a forma mais comum de se prender ao passado aconteça na memória. Velhas feridas e traumas voltam, mostrando-nos que não devemos repetir as coisas ruins que nos aconteceram. O que fica retido na memória é a carga emocional, que os psicólogos chamam de "dívida emocional", e que todo mundo tem. Alimentamos antigos ressentimentos, remorsos, medos e mágoas como dívidas que não foram pagas.

Isso nos dá uma pista do que devemos nos desprender. Em vez de rememorar aquele seu aniversário em que ninguém compareceu, observe o sentimento que essa lembrança ruim lhe traz. Em vez de lamentar um relacionamento repleto de recriminações, concentre-se no que sente a respeito dessa lembrança. É muito difícil apagar uma recordação, mas é possível pagar uma dívida emocional.

As técnicas descritas a seguir para o pagamento de dívidas emocionais são fáceis e eficientes. As emoções, pela própria natureza, vêm e voltam, e um período de reflexão costuma ser suficiente para reencontrarmos a tranquilidade. Mas os estados emocionais pegajosos (ou seja, persistentes) não desaparecem sozinhos. Precisam da nossa ajuda para sumir, através de várias práticas.

Técnica 1: Ao sentir uma emoção desconfortável que persiste, concentre-se e respire várias vezes, devagar e profundamente, até a carga emocional começar a se diluir.

Técnica 2: Ao reconhecer uma emoção persistente, observe que ela voltou e diga: "Foi assim da outra vez, mas hoje não sou mais o mesmo". A consciência dilui a intensidade das emoções negativas, mas essa intensidade varia de pessoa para pessoa. O segredo é não afastar esses sentimentos. Se você tem a intenção de receber uma emoção negativa na consciência, esta técnica será bastante eficiente. Seja grato à emoção por ter chamado a sua atenção e então sente-se tranquilamente até que ela desapareça. Isso é muito melhor do que resistir a ela. A resistência apenas faz com que a emoção indesejada insista em chamar a sua atenção.

Técnica 3: Se a emoção for muito insistente, sente-se com os olhos fechados e sinta-a – faça isso com leveza, sem se aprofundar muito nela. Inspire fundo e expire devagar, liberando do seu corpo a energia emocional. Para facilitar o processo, imagine que o ar inspirado é uma luz branca que retira de você o sentimento tóxico.

Técnica 4: Se sentir uma emoção não específica, um estado de ânimo deprimido, tristonho ou mal-humorado, sente-se tranquilamente e volte a atenção para o coração. Visualize uma luzinha branca no lugar dele e veja essa luz se alastrar. Observe a luz branca tomando todo o seu peito. Agora permita que ela suba para o pescoço, depois para a cabeça e se aloje no topo do crânio. Esta técnica levará alguns minutos para se completar. Agora volte para o coração e espalhe a luz branca por todo o peito. Sinta-a descer, preencher o abdômen, as pernas e finalmente os pés, até penetrar no chão.

As quatro técnicas podem ser aplicadas separadamente ou em sequência. É importante ser paciente. Quando essa prática de descarte é aplicada, leva um tempo para o sistema emocional se readaptar. Resumindo, todos nós somos apegados a alguma coisa, mas agora você pode estar consciente do que ocorre e dar os passos necessários para retornar à consciência simples. Ela nos permite viver no momento presente, onde a realidade é sempre renovada e fresca.

SEGUNDA PARTE

ENCONTRE A SUA ABUNDÂNCIA

A Ioga se aplica ao dinheiro de maneiras inesperadas. Mas, olhando mais a fundo, ela se aplica à vida como consciência em movimento. Graças à generosidade do espírito, a consciência não fica dando voltas e mais voltas como quem atira dardos com uma venda nos olhos. O darma nos beneficia e nos apoia. Muito mais que o dinheiro, o darma está sempre do nosso lado. Isso se resume a uma só palavra: *abundância*. Se temos muito dinheiro, somos ricos. Se prosperamos, ficamos satisfeitos. Essa é a real meta da Ioga.

Estudos em psicologia mostram que quem tem dinheiro suficiente se sente bem, mas, além de um certo ponto, ter mais dinheiro na verdade reduz a sensação de felicidade. Existe uma pergunta crucial que fazemos a nós mesmos uma hora ou outra: "Isso é tudo?" Essas palavras sugerem carência e sonhos não realizados. Não sabemos por que alguns têm mais do que outros – mais amor, mais segurança financeira, mais confiança, mais sucesso. O dinheiro é apenas um aspecto secundário. Podemos nos sentir insatisfeitos com a nossa carreira e os nossos relacionamentos. Nas horas mais difíceis, podemos ter mais sofrimento do que alegria. Mas o pior de tudo é a sensação de vazio. Nos momentos mais terríveis, esse sentimento nos deixa ansiosos, ressentidos e sem saber o que fazer.

As pessoas usam recursos de todo tipo para disfarçar a insatisfação. São táticas que incluem fantasias, autoengano, consumismo, distrações constantes e negação. Estar bem materialmente não resolve o problema. Em um projeto mundial para medir o bem-estar das pessoas, o instituto Gallup utiliza dois indicadores: sobrevivência e prosperidade. *Sobreviver* significa que elas estão apenas "se virando", *prosperar* significa que a vida delas vai bem. Não há um objetivo padrão para ambos; os entrevistados só podem escolher uma alternativa de como se sentem. Mesmo em países ricos e desenvolvidos, somente um terço das pessoas afirma estar prosperando. O "não ter" supera o "ter" em grande número no mundo todo.

A ATITUDE DE ABUNDÂNCIA

Se fui claro em descrever a situação – e penso que a maioria das pessoas se reconhecerá nela –, há uma necessidade urgente de abundância. Para a Ioga, a satisfação se equipara a uma atitude de abundância. Isso se aproxima do que mede a pesquisa do Gallup. Ou temos uma atitude de abundância (prosperidade) ou uma atitude de carência (sobrevivência).

Dois terços daqueles que vivem em sociedades ricas têm uma atitude de carência, que é emocional e psicológica. Isso nada tem a ver com a conta bancária. Sem confrontar a nossa atitude de carência, tanto eu quanto você moldamos silenciosamente a nossa identidade em torno da limitação. Somos cautelosos em relação aos desejos que formulamos. Temos medo de ultrapassar as nossas fronteiras seguras e as nossas zonas de conforto. Esses hábitos moldaram a nossa identidade. Conheci um homem que dissipou uma fortuna de mais de 1 milhão de dólares. Era uma pessoa inteligente e sensível, que sempre administrara bem as suas finanças. Quando o dinheiro acabou, ele teve um *insight*. "Eu me vejo como uma pessoa que ganha 40 mil dólares por ano", ele me disse. "Um milhão de dólares não era o que eu sou. Assim, dei um jeito de retroceder para 40 mil por ano, apesar de tudo."

Uma atitude de abundância muda as nossas expectativas, o nosso comportamento e até a nossa identidade. Se não estamos satisfeitos, não faz sentido ganhar mais dinheiro e consumir mais bens. H. L. Hunt, um magnata do petróleo texano fabulosamente rico, era famoso por usar sapatos velhos com buracos nas solas e um terno barato – remanescentes da sua vida miserável no árido Texas Oriental. Ele nunca veio a ter a atitude de abundância, que é onde a nossa história começa.

QUESTIONÁRIO

ONDE VOCÊ ESTÁ AGORA?

Se hoje você quer que a sua vida seja mais abundante, o seu ponto de partida deve ser diferente do de qualquer outra pessoa. Indivíduos com a mesma faixa de renda que você, ou pouco mais ou pouco menos, também têm atitudes e crenças em relação à abundância. Estas determinam o resultado que seus esforços terão antes mesmo de eles começarem.

Instruções: Em cada uma das afirmações, marque "Concordo", "Indiferente" ou "Discordo". Marque a resposta que for mais espontânea. Se não sentir firmeza para concordar ou discordar, é melhor escolher uma delas do que marcar "Indiferente". Dúvidas e hesitações tendem a toldar a questão, mais do que esclarecê-la.

PARTE 1: ATITUDE DE CARÊNCIA

As pessoas que enriquecem em geral são gananciosas.
Concordo ☐ Indiferente ☐ Discordo ☐

O dinheiro é a raiz de todo mal.
Concordo ☐ Indiferente ☐ Discordo ☐

Quando alguém ganha, outra pessoa tem que perder.
Concordo ☐ Indiferente ☐ Discordo ☐

Eu tendo a notar as minhas inadequações.
Concordo ☐ Indiferente ☐ Discordo ☐

Tenho bloqueios para atingir os meus objetivos porque me lembro dos meus fracassos do passado.
Concordo ☐ Indiferente ☐ Discordo ☐

O voto de pobreza é uma atitude espiritualizada.
Concordo ☐ Indiferente ☐ Discordo ☐

As pessoas ao meu redor deveriam me apoiar mais.
Concordo ☐ Indiferente ☐ Discordo ☐

As coisas não dão certo quando se tem expectativas muito altas.
Concordo ☐ Indiferente ☐ Discordo ☐

No íntimo, não me sinto bem-sucedido.
Concordo ☐ Indiferente ☐ Discordo ☐

Não sei por que alguns fracassam e outros vencem.
Concordo ☐ Indiferente ☐ Discordo ☐

Quem não merece não chega a lugar nenhum.
Concordo ☐ Indiferente ☐ Discordo ☐

Os maus jogam melhor que os bons.
Concordo ☐ Indiferente ☐ Discordo ☐

O importante é se agarrar ao que se tem.
Concordo ☐ Indiferente ☐ Discordo ☐

PARTE 2: ATITUDE DE ABUNDÂNCIA

Se defino uma meta, confio que a alcançarei.
Concordo ☐ Indiferente ☐ Discordo ☐

Acredito que se pode fazer a própria sorte.
Concordo ☐ Indiferente ☐ Discordo ☐

Se eu procurá-las, as oportunidades se apresentarão.
Concordo ☐ Indiferente ☐ Discordo ☐

Acredito que sou generoso com o meu tempo,
o meu dinheiro e os meus recursos.
Concordo ☐ Indiferente ☐ Discordo ☐

A atitude de dar tem me servido bem.
Concordo ☐ Indiferente ☐ Discordo ☐

Comparado com a maioria das pessoas, consigo esquecer com facilidade os meus fracassos do passado.
Concordo ☐ Indiferente ☐ Discordo ☐

As pessoas são basicamente boas.
Concordo ☐ Indiferente ☐ Discordo ☐

Tudo acontece por alguma razão.
Concordo ☐ Indiferente ☐ Discordo ☐

Minha vida tem um forte propósito.
Concordo ☐ Indiferente ☐ Discordo ☐

Meu trabalho é significativo para mim.
Concordo ☐ Indiferente ☐ Discordo ☐

AVALIE AS SUAS RESPOSTAS

Este questionário não tem um resultado numérico, mas dá uma boa ideia do nosso ponto de partida para nos tornarmos prósperos. É raro, para não dizer impossível, concordar com todas as questões das duas partes, porque elas abordam atitudes opostas. Mas você notará que marcou "Concordo" e "Discordo" em proporções variadas.

Você tem uma atitude de carência se marcou "Concordo" em seis ou mais afirmativas da parte 1 (e provavelmente marcou "Discordo" em várias da parte 2). Isso indica uma série de coisas, como:

- falta de autoconfiança;
- baixa autoestima;
- ceticismo;
- pessimismo;
- fixação em fracassos do passado;
- opiniões preconcebidas;
- defensividade;
- insegurança financeira.

Todos esses fatores dizem respeito a você e ao seu sistema de crenças, mas não ao mundo "lá fora". Você tende a ter ações autodestrutivas e toma decisões impulsivamente. Deve ter dificuldade para definir grandes metas sem que uma sensação de derrota se imponha já no primeiro passo. Não estou dizendo que a culpa seja sua. Infelizmente, o mundo costuma colocar obstáculos de maneira injusta para quem busca sucesso e prosperidade. Não podemos mudar o mundo, mas podemos mudar os obstáculos interiores que nos impomos.

Você tem uma atitude de abundância se marcou "Concordo" em seis ou mais afirmativas da parte 2 (e provavelmente "Discordo" em várias da parte 1). Isso indica uma série de coisas, como:

- autoconfiança;
- otimismo;
- segurança;
- capacidade de superar reveses;
- um forte sistema de apoio;

- aceitação do outro;
- atitudes não críticas.

Tudo isso lhe dá força interior e resiliência diante dos obstáculos. Você não tem atitudes autodestrutivas quando decide agir e tomar decisões importantes. Tem mais condições que a maioria das pessoas de ser estável emocionalmente e enxergar as situações com clareza. Não fica ansioso nem antevê o espectro da derrota quando estabelece metas mais altas.

Se marcou "Indiferente" mais de cinco vezes em qualquer uma das partes e mais de cinco vezes "Concordo" em ambas as partes, você provavelmente está em negação. Todas as afirmativas são fortes e ser "Indiferente" a várias delas não é realista. Negar é uma atitude segura, mas é também limitadora. Quem arrisca pouco ganha pouco. Isso se aplica não só aos nossos desejos e sonhos, mas também aos riscos que assumimos.

Se você quer ter uma atitude de abundância, comece com a consciência simples. Como vimos, a consciência simples é um estado mental calmo, centrado e tranquilo. Só a consciência simples alcança a metade da satisfação, que é ter a sensação de que não falta nada. A outra metade se aproxima mais de como segue a vida: estar satisfeito no trabalho, entre os amigos, na vida familiar e nas aspirações espirituais.

É aqui que entra a consciência. Estando na consciência simples, começamos a perceber mudanças que nos provam, pessoalmente, que o darma está nos apoiando. A generosidade do espírito seria apenas uma boa ideia se a nossa vida não mudasse de fato. Os seres humanos são complexos e duas pessoas jamais têm as mesmas expectativas. Mesmo assim, há inúmeras maneiras, todas elas maravilhosas, de nos sentirmos satisfeitos.

COMO A SATISFAÇÃO SE REVELA

- Começamos a viver aqui e agora, ignorando a voz no interior da cabeça que repete ladainhas de medos, mágoas, fracassos e frustrações.
- Afastamos preocupações desnecessárias e sem sentido.
- Agimos com generosidade e não com egoísmo.
- Deixamos de esperar a aprovação dos outros.
- Deixamos de temer a desaprovação dos outros.
- Assumimos a responsabilidade por nossas emoções e reações.
- Paramos de sentir culpa.
- Deixamos nossos impulsos criativos virem à tona.
- Reagimos com sinceridade.
- Buscamos a beleza, o amor e a alegria, e paramos de procurar falhas, problemas e os piores cenários.
- Praticamos a apreciação, a atenção e a aceitação.
- Aceitamos a nossa identidade interior.
- Criamos a nossa própria felicidade.
- Oferecemos solidariedade a quem precisa.
- Somos úteis onde for necessário.
- Paramos de resistir e começamos a acompanhar o fluxo.

Como se vê, a atitude de abundância é mais do que mero otimismo ou pensamento positivo; é mais profunda que um sistema de crenças ou uma questão de fé. A abundância deve se tornar parte da nossa identidade, como na frase "Eu me basto". Quando essa é a sua verdade, o mundo também se basta, simultaneamente.

Por sermos complexos, a nossa realização como seres humanos tem muitos aspectos. Os japoneses têm um conceito conhecido como *ikigai*, que é definido como "uma razão de ser". Se alcançarmos o *ikigai*, cujas raízes estão na medicina tradicional japonesa, a sua vida estará realizada. Para chegar a isso, os atos da pessoa têm que estar voltados para quatro objetivos principais:

- o amor;
- as coisas que ela faz bem;
- um estilo de vida sustentável;
- o que o planeta necessita.

A abundância não tem valor se essas quatro áreas não forem satisfeitas. Não é possível enumerar o amor do mesmo modo que enumeramos frascos de manteiga de amendoim, pizzas congeladas ou automóveis, embora todo mundo saiba a diferença entre vazio e plenitude em termos amorosos.

O *ikigai* abre os nossos olhos para construirmos uma vida com propósito e significado. O conceito, que faz parte da vida diária de milhões de japoneses, originou-se na ilha de Okinawa num momento não especificado, embora haja registros da palavra *"ikigai"* já no início do século VIII.

Uma virtude do *ikigai* que não agrada à sociedade ocidental é que ele põe todo mundo em sintonia, dando prioridade absoluta ao bem comum. A individualidade vem em segundo lugar. É o que considera importante um povo tão conformista quanto o japonês. Mas não é nenhuma novidade atribuir à alegria o propósito motor da vida ou fundamentar esse propósito em algo em que se acredite apaixonadamente – esses dois conceitos existem há séculos.

Uma variante desse princípio é encontrada na Índia, onde até hoje as crianças aprendem que os quatro propósitos da vida, fundamentados em antigas tradições espirituais, são Artha, Kama, Darma e Mocsa.

- Artha é a prosperidade em termos materiais.
- Kama é a plenitude do amor, o prazer e os desejos realizados.
- Darma é a moral da vida virtuosa.*
- Mocsa é a realização espiritual pela libertação interior.

O fato de o idioma dessas palavras ser o sânscrito não nos permite pensar que tais conceitos sejam exclusivamente indianos. A razão para crianças de qualquer geração, inclusive a minha, aprenderem esses quatro valores é que eles têm apelo universal. Isso implica que qualquer um pode alcançá-los. Além disso, se não tivermos consciência de qualquer uma dessas metas, a vida pode se desvirtuar. Olhe à sua volta e observe o desequilíbrio que resulta quando Artha, a prosperidade material, e Kama, a busca do desejo e do prazer, prevalecem a ponto de excluir a moral e a vida espiritual. Ambos dão significado à abundância, pois a única coisa que os seres humanos não conseguem tolerar por muito tempo não é a pobreza, mas uma vida sem sentido.

Digamos que os dois modelos de uma vida abundante, o indiano e o japonês, sejam desejáveis – ninguém discorda disso. Mas podem ser alcançados? É nesse ponto que o objetivo de ter abundância apenas material começa a fazer água. Quando dizemos "O dinheiro não compra a felicidade", o problema não é o dinheiro, mas a palavra "comprar". A felicidade não é negociável. Não se pode pôr um preço nela porque todo o processo comercial de precificar, comprar, trocar bens por serviços, obter o máximo de retorno pelo investimento, nada disso faz sentido quando o que buscamos é a abundância interior. A vida só se realiza quando agimos a partir do nível do significado.

Entretanto, muita gente se aproxima de um novo relacionamento com intenções comerciais, mesmo sem perceber. Do ponto de vista transacional, namorar envolve uma lista de verificação de

---

* As palavras em sânscrito têm vários significados, e darma também pode significar a maneira de ganhar a vida.

qualidades desejáveis, como a lista que usaríamos para comprar um carro. O relacionamento é baseado na quantidade de tiques com que marcamos os itens da lista, para ter certeza de que o provável parceiro é atraente, próspero, inteligente, divertido, não muito autocentrado e disposto a prestar atenção em nós. Mas nenhum desses itens, mesmo que todos estejam ticados, garante que um relacionamento será realmente significativo. Um relacionamento pleno e gratificante, assim como uma vida plena e gratificante, vem de dentro de nós.

A SATISFAÇÃO EM PRIMEIRO LUGAR

A Ioga incorpora uma grande verdade: todas as coisas que necessitamos estão ao nosso alcance em quantidades generosas. Uma atitude de carência vai no sentido contrário dessa verdade e, portanto, falseia a realidade. Entre todos os seres vivos, os humanos são os que receberam o pacote completo de tudo o que a natureza tem a oferecer. Nossa espécie pode comer qualquer tipo de alimento, adaptar-se e viver em qualquer parte do globo, falar diferentes línguas, escolher entre uma infinidade de pensamentos e desejar ilimitadamente.

Tudo o que existe em abundância "lá fora" cresceu a partir de uma ideia semente "aqui dentro". Todos nós vivemos no fluxo de inteligência criativa que transforma desejos e sonhos invisíveis em realidade física. Não se pode duvidar de que temos direito inato ao pacote completo. Mas, infelizmente, muitos de nós não se dão conta do poder que temos de criar um mundo belo. E, como sabemos, *não* usar todo o pacote causa um imenso impacto na nossa vida. Essa deficiência grita por cura e transformação.

Enxergar apenas possibilidades limitadas cria dificuldades e sofrimento. Mas será que uma atitude de abundância pode, em si e por si só, nos levar aonde queremos ir? Obviamente não. Temos que lidar com a vida real – trânsito, clima, questões de saúde globais, altos e baixos econômicos –, e para a grande maioria das pessoas, existir é mais ou menos assim:

———————— *Ideais* ————————
"Vida Real"
———————— *Expectativas* ————————

O diagrama é simples, porém alarmante. Vê-se claramente que há um espaço vazio entre os ideais que acalentamos e o que o mundo "lá fora" nos permite ter. A "vida real" está entre aspas porque cada um de nós tem uma concepção diferente do que a vida é de fato. Obviamente, não é a mesma coisa nascer pobre em vez de rico, mulher em vez de homem, negro em vez de branco. Seja você quem for, provavelmente acredita que a vida real tenha sido a causa, talvez não a única, mas a mais importante.

Para demonstrar o que quero dizer, incluo a seguir uma lista de crenças comuns a que todos nós fomos expostos (algumas, já mencionadas anteriormente). Muitas pessoas tendem a aceitá-las, em graus variados, sem pensar muito a respeito. Veja em qual delas você acredita, talvez até mais do que deveria.

CRENÇAS COMUNS SOBRE A "VIDA REAL"

- A vida é injusta.
- É tudo um jogo de dados.
- É preciso transigir para ser bem-sucedido.
- Fique atento ao número um – ninguém fará isso por você.
- O mundo não lhe deve nada.
- O que entra fácil sai fácil.
- Não se pode lutar contra o poder público.

- Nasce um otário a cada minuto.
- Você é ou um vencedor inato ou um perdedor inato.
- A vida é uma droga, e aí a gente morre.

Essa lista poderia ter como título "Dez maneiras fáceis de baixar as suas expectativas". Afirmo enfaticamente que tais crenças contribuem para uma atitude de carência. Entretanto, mesmo quem sabe disso tem dificuldade para se desvencilhar da sua influência. Um antídoto é lançar luz sobre elas e expor as lições falsas que recebemos como verdades. Olhemos essas crenças comuns mais de perto.

A vida é injusta.
Lição falsa: Pela sua própria natureza, a realidade existe para derrotar a felicidade.

É tudo um jogo de dados.
Lição falsa: O acaso está no comando. O tempo todo ele derrota pessoas boas e recompensa pessoas más.

É preciso transigir para ser bem-sucedido.
Lição falsa: A conformidade é o único caminho seguro na vida.

Fique atento ao número um – ninguém fará isso por você.
Lição falsa: O egoísmo deve ser a sua principal preocupação.

O mundo não lhe deve nada.
Lição falsa: Nada de bom acontece sem esforço e sem luta.

O que entra fácil sai fácil.
Lição falsa: O que se obtém sem esforço é logo desperdiçado.

Não se pode lutar contra o poder público.
Lição falsa: O poder sempre derrota a justiça.

Nasce um otário a cada minuto.
Lição falsa: A maior parte das pessoas existe para ser tapeada.

Você é ou um vencedor inato ou um perdedor inato.
Lição falsa: O destino está fora das nossas mãos.

A vida é uma droga, e aí a gente morre.
Lição falsa: O mundo é um vale de lágrimas, que acaba sem ter nada para mostrar exceto a extinção.

Estamos habituados a acreditar que a "vida real" existe para se adequar àquilo que queremos para nós. Quando o infortúnio se dá em larga escala – através de guerras, desastres naturais, economias que entram em colapso ou um choque inesperado como uma pandemia –, esses eventos reforçam a crença de que é a vida real que tem a primeira e a última palavra. Quando as nossas expectativas são destruídas, os nossos ideais se tornam meras ilusões, sonhos desfeitos e uma grande decepção.

O que nos resta fazer senão entrar no jogo e arriscar todas as nossas chances? A Ioga ensina que devemos confrontar a "vida real" de uma nova maneira. Temos que expandir a consciência para as possibilidades que estivermos dispostos a aceitar, porque limitações autoimpostas não desaparecerão por si mesmas. Para provocar essa expansão, a Ioga conta com a atenção e a intenção.

A *lei da atenção* determina que tudo em que colocamos a nossa atenção cresce. E a *lei da intenção* determina que o mundo "lá fora" obedece aos nossos desejos mais profundos.

Quando juntamos essas duas leis, o resultado é conhecido em sânscrito como *Sankalpa*. As definições comuns de Sankalpa são um desejo sincero, uma promessa, uma determinação de agir. Entretanto, a melhor interpretação é "intenção sutil". Quanto à sutileza, um Sankalpa não precisa usar palavras. Se queremos levantar um braço, a intenção basta. Se começamos a falar, a nossa intenção já reuniu uma notável quantidade de elementos: a ação dos pulmões, as cordas vocais, a língua etc. Além desses elementos corporais, a sua intenção de falar produz palavras, e estas dependem da ativação da sua memória, do seu vocabulário e da sua capacidade de combinar tudo isso para fazer sentido.

Ninguém duvida de que a intenção sutil é surpreendente, a não ser pelo fato de que nós a achamos algo natural. Sob um microscópio, porém, o poder da intenção é revelado pelo que acontece silenciosamente.

- Um desejo sai do mundo invisível para o mundo visível.
- A sua intenção se vincula à realização dele automaticamente.
- Cada ingrediente se diluiu no todo.
- A organização de si mesmo orientou todo o processo.

Um pesquisador da ciência médica pode passar a vida estudando o mecanismo da fala em colaboração com pneumologistas, neurologistas e quem mais houver entre uns e outros. Se uma única etapa der errado, o desastre é inevitável. Mas no nosso dia a dia deixamos o Sankalpa se encarregar de todo o processo, que acontece de milhares de maneiras. Foi a intenção que nos deu tudo que já recebemos nesta vida.

Um ponto delicado é que movimentar o braço ou começar a falar acontece "aqui dentro", no interior do corpo-mente. Se quisermos que o mundo "lá fora" obedeça aos nossos desejos, deixaremos qualquer psiquiatra competente preocupado. O "pensamento mágico", como é conhecido, é um sintoma de delírio, de psicose ou de uma imaginação hiperativa – menos na Ioga.

A Ioga não reconhece a separação entre "aqui dentro" e "lá fora". As nossas intenções estão em condições de igualdade. Podemos tencionar erguer um braço ou encontrar a pessoa que será o amor da nossa vida. As duas intenções podem ser organizadas por intermédio do Sankalpa. Portanto, ele torna realidade exatamente o que estamos buscando, que é uma maneira de transformar uma atitude de abundância em abundância real.

O fluxo de inteligência criativa é universal – é o mesmo em toda parte. Podemos orientar esse fluxo por meio das nossas intenções, ou seja, nossos desejos. Em termos iogues, as regras são claras.

O PROCESSO DO SANKALPA

- Esteja na consciência simples.
- Quando se sentir calmo e sereno, crie uma intenção, ou seja, o resultado que gostaria de ver.
- Declare a intenção uma vez, então permaneça inativo por alguns minutos.
- Solte a intenção, confiando que terá uma resposta.
- Aguarde a resposta com a mente aberta.

Sempre que pensamos, falamos ou agimos ocorrem essas etapas, pois é preciso haver a intenção antes que algo aconteça no corpo-mente. Não há razão para acreditar que realizar um Sankalpa fora do corpo seja diferente. Entretanto, a sociedade não nos ensina que o que desejamos faz diferença no mundo exterior. Quem compra um bilhete de loteria, pratica um esporte competitivo ou quer o que outras pessoas também querem sabe o que é decepção. Quando há um jogo de soma zero, só pode haver um vencedor.

Como a Ioga lida com isso? Observando um pouco mais profundamente como o darma funciona. O darma ajuda quando temos as condições certas e deixa de ajudar em condições erradas.

CONDIÇÕES CERTAS

- A sua intenção é clara.
- Não existem conflitos ou perturbações interiores.
- Você quer o que é bom para si, isto é, o que lhe permite evoluir.
- Você não quer prejudicar ninguém.
- Você quer o melhor para todos.
- Você está em seu darma.

Algumas dessas condições fazem sentido, mas outras parecem inalcançáveis. Como saber o que nos permite evoluir? Como prever uma solução que seja melhor para todos? Um cético diria que tudo é um truque – você tem a promessa de que os seus sonhos se realizarão, mas ela não é cumprida e a culpa é toda sua.

Mas isso é ignorar o poder do Sankalpa porque, se o seu desejo encontrar as condições ideais para se realizar, ele se realizará. Quando nos alinhamos com o fluxo de inteligência criativa, os obstáculos desaparecem. Decepções e reveses só ocorrem quando condições erradas estão presentes.

CONDIÇÕES ERRADAS

- Você tem intenções confusas.
- A intenção era só um capricho, um desejo passageiro.
- Você não está na consciência simples.

- O seu desejo prejudica outras pessoas.
- O que você quer está muito longe do seu darma.
- Você interfere muito no processo, em vez de permitir que ele transcorra automaticamente.

A magia do Sankalpa é que ele funciona automaticamente. Não é preciso investigar ou interferir, assim como erguer o braço não exige conhecimentos de anatomia ou que a pessoa se pendure para alongar os músculos. O ditado popular "Tudo acontece por uma razão" é a atitude certa, é uma confiança otimista. Tenha a intenção, solte-a e veja o que acontece.

Há dois grandes obstáculos para o Sankalpa: a desatenção e o carma. Desatenção significa que esquecemos de ficar alertas para uma resposta. As intenções se realizam, quase o tempo todo, por uma sequência de etapas. Se queremos encontrar um grande amor, isso não vai acontecer se ficarmos em frente à tevê esperando a campainha tocar. É preciso estar atento para saber o que fazer. O eu verdadeiro sabe o que fazer. Ele já conectou o nosso Sankalpa com a resposta certa. Depois que a intenção estiver bem clara, sempre haverá um sinal do que virá em seguida. Talvez seja um sinal interior, talvez seja um desejo casual de encontrar o amigo de um amigo que precisávamos ver. Mas o mais provável é que continuemos a fazer o que sempre fazemos, exceto que em algum nível saberemos que o Sankalpa está acionando seus motores invisíveis.

O segundo obstáculo, o carma, é o curinga. Padrões estabelecidos no passado podem bloquear o resultado

> esperado. Não estou dizendo que o carma é inevitável. Como vimos, o carma do dinheiro pode ser melhorado. As etapas recomendadas nesse caso funcionam para quase tudo. O segredo é que o carma nunca é um obstáculo; ele só redireciona as nossas expectativas. Um bom exemplo é correr uma maratona. Apenas um corredor romperá a fita na linha de chegada e será o vencedor. Mas os demais corredores poderão ficar satisfeitos por completarem o trajeto, percorrendo-o num tempo melhor do que na vez anterior ou provando alguma coisa para si mesmos. A satisfação faz todo Sankalpa valer a pena.

Nada do que realmente valorizamos na vida – um relacionamento amoroso, uma família calorosa, um trabalho útil e bem recompensado e tempo para usufruir de tudo isso – nos chega por acaso. Quanto mais próximos estivermos do eu verdadeiro, mais poderosas serão as nossas intenções. Na consciência pura, esse poder não tem limites. A experiência é de uma alegria crescente. A alegria está disponível a todos, e encontrá-la tem profundas raízes na Ioga, como logo veremos.

TERCEIRA PARTE

OS DONS DA INTELIGÊNCIA CRIATIVA

O SISTEMA DE CHACRAS

Se queremos abundância em nossa vida, temos que usar cada vez mais a consciência. Em outras palavras, temos que evoluir. Existe um fluxo evolutivo para a consciência humana que está incorporado na inteligência criativa. A Ioga é bastante específica em relação a isso. Há sete qualidades de inteligência criativa que têm o valor evolutivo mais alto. Pense nelas como presentes da inteligência criativa, porque é exatamente o que elas são.

OS SETE DONS DA INTELIGÊNCIA CRIATIVA

- Alegria
- Inteligência
- Expressão criativa
- Amor
- Ação bem-sucedida, empoderamento
- Prazer sensual, sexualidade
- Segurança

A abundância está presente em todos esses dons. A generosidade do espírito não poderia estar mais visível. Se evoluirmos nessas sete áreas, teremos uma visão da abundância que a maioria das pessoas desconhece. Ninguém precisa ser convencido de que esses dons são valiosos. Quem não prefere ser alegre a ser sofredor? As vantagens das escolhas mais inteligentes e de ações mais eficazes são evidentes. Infelizmente, a vida não é organizada em torno desses dons por inúmeras razões. A primeira delas é que não somos capazes de navegar dentro da nossa própria mente.

Diariamente estamos imersos em um fluxo constante de pensamentos, sensações, desejos, sentimentos, esperanças e preocupações. Para a maioria das pessoas, o fluxo da consciência é excessivo. Não adianta elas saberem que possuem um potencial infinito – um ensinamento fundamental da Ioga. No que diz respeito a promessas, essa é insuportável. Quando a vida nos apresenta possibilidades infinitas, ficamos paralisados como um escritor diante de uma folha de papel em branco. Pressupondo que temos um longo vocabulário, entre 10 mil e 20 mil palavras, a primeira palavra que digitamos em uma folha de papel ou em um documento do Word requer que saibamos por que não fizemos 10 mil ou 20 mil outras escolhas.

Quando tudo é possível, escolher é quase impossível. Em outras palavras, é mais útil limitar o número de escolhas das pessoas. Pesquisadores da área de marketing atribuem o sucesso do McDonald's a esse fato. A base do cardápio é a mesma há muitas décadas – o hambúrguer –, com algumas escolhas insignificantes, como com ketchup ou sem ketchup, com cebolas ou sem cebolas, Big Mac ou Quarterão. Poder escolher faz com que as pessoas se sintam no controle, mesmo quando as opções são insignificantes.

Mas reduzir as nossas escolhas é o oposto da atitude de abundância. Menos não é mais. A Ioga nos resgata desse dilema com um único e poderoso ensinamento: a inteligência criativa organiza tudo para nós. Ela não passa por nós como a água que escorre por uma mangueira de jardim ou pela ravina de um cânion. Quando estamos alinhados com a inteligência criativa, ela organiza pensamentos, palavras e ações sem nenhum esforço em um nível muito mais profundo que a superfície da mente, onde o jogo randômico dos pensamentos é casual e imprevisível.

OS SETE CHACRAS

A inteligência criativa segue por um caminho revelador das suas sete qualidades. A tradição da Ioga nos oferece um fluxograma dos sete *chacras*, palavra em sânscrito que significa "roda" ou "círculo". Os chacras se distribuem ao longo da coluna vertebral, mas estão na consciência e não fazem parte da anatomia física.

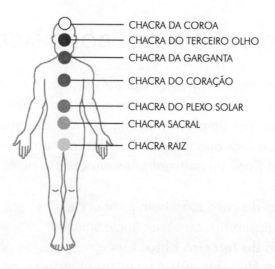

A Ioga mapeia assim o fluxo de inteligência criativa dentro de nós, expressando uma qualidade diferente de cada chacra, de cima para baixo:

- Chacra da coroa: Felicidade
- Chacra do terceiro olho: Inteligência
- Chacra da garganta: Autoexpressão
- Chacra do coração: Amor
- Chacra do plexo solar: Ação bem-sucedida, empoderamento
- Chacra sacral: Prazer sexual, sensualidade
- Chacra raiz: Segurança

Podemos usar os sete chacras de duas maneiras. A primeira consiste em reforçar as qualidades associadas a cada um. Por exemplo, meditar no chacra da coroa potencializa a felicidade, enquanto meditar no chacra do coração intensifica as emoções, principalmente o amor. Se quisermos segurança, é melhor meditar no chacra raiz, que traz a consciência para o mundo físico.

MEDITAÇÃO BÁSICA DOS CHACRAS

Para intensificar as qualidades da inteligência criativa, há um mantra específico para cada uma delas. São mantras simples, mas que derivam de uma fonte profunda – os buscadores, ou *rishis*, ouviam esses sons quando estavam concentrados em cada chacra.

Chacra da coroa: So hum (pronuncia-se *so ham*, com o h aspirado), ou consciência simples
Chacra do terceiro olho: Om (pronuncia-se *ohm*)
Chacra da garganta: Ham (pronuncia-se com o h aspirado)
Chacra do coração: Yam
Chacra do plexo solar: Ram
Chacra sacral: Vam
Chacra raiz: Lam

Os chamados mantras-semente são a vibração básica de cada chacra na forma de som – às vezes, são significados genéricos (por exemplo, *hum* significa "eu sou" em sânscrito) –, mas não são a intenção do mantra. A explicação mais aceita é que a repetição do mantra equilibra a energia de cada chacra. Crer ou não nisso não importa, porque o valor dos mantras na meditação já foi provado em anos e anos de estudos.

COMO MEDITAR

Tendo escolhido qualquer um dos mantras para meditar, este método é básico.

- Reserve uma hora tranquila do seu dia, de preferência de manhã ou no fim da tarde.
- Sente-se com as costas retas, as mãos sobre o colo. (Não é preciso adotar a postura de lótus tradicional, mas não se incline para trás nem fique recostado. Sente-se confortavelmente.)
- Feche os olhos e respire profundamente até se sentir calmo e sereno.
- Volte a sua atenção para o local correspondente ao mantra escolhido.

Chacra da coroa: no topo da cabeça
Chacra do terceiro olho: no meio da testa, pouco acima dos olhos
Chacra da garganta: no meio do pescoço, sobre a laringe
Chacra do coração: no centro do peito
Chacra do plexo solar: entre o umbigo e o início da caixa torácica

Chacra sacral: um dedo acima do osso pélvico
Chacra raiz: na base da coluna vertebral

- Entoe o mantra em voz baixa e repita-o regularmente, mas não em um ritmo fixo. Apenas repita-o de maneira relaxada e retome-o se notar que se distraiu com outros pensamentos e sensações. (Observação: no caso do chacra da coroa, você pode fazer a meditação sem entoar o mantra, apenas sentado em silêncio em consciência simples.)
- Medite com o mantra por dez ou vinte minutos. A seguir permaneça sentado com os olhos fechados por alguns minutos. Se tiver tempo para deitar-se e descansar, melhor ainda. Caso contrário, fique sentado calmamente para sair do estado meditativo antes de retomar suas atividades diárias.

Essa técnica básica da meditação é uma das mais eficazes para alcançar níveis profundos da consciência. Não se force a focar um chacra, nem em se concentrar. O que você quer é o oposto disso, uma meditação relaxada que se vale da tendência natural da mente de sempre retornar à sua origem.

MEDITAÇÃO INTENCIONAL

Também é possível meditar na qualidade de inteligência criativa que o chacra expressa. É uma meditação do desejo ou da intenção, em vez de na vibração.

O termo que uso para isso é "pensamentos centrados", porque a atenção está no centro silencioso onde as intenções são mais eficazes.

Chacra da coroa: "Eu sou" ou "Sou puro Ser"
Chacra do terceiro olho: "Eu sei" ou "Sou sabedoria"
Chacra da garganta: "Sou livre expressão" ou "Verbalizo a minha verdade"
Chacra do coração: "Sou amor" ou "Irradio amor"
Chacra do plexo solar: "Sou o meu poder" ou "Sou empoderamento"
Chacra sacral: "Sou sensual" ou "Acolho o meu desejo"
Chacra raiz: "Sou a minha segurança" ou "Estou totalmente enraizado"

Diferentemente da meditação com o mantra, a meditação da intenção significa identificar-se com o pensamento e acreditar por completo nele. É claro que isso não vai acontecer só pela repetição. É um método mais intuitivo. Vejamos:

- Sente-se tranquilamente com os olhos fechados e centre-se, como descrito na meditação com o mantra.
- Escolha um pensamento centrado e expresse-o mentalmente, apenas uma vez.
- Deixe o significado dele penetrar na consciência e veja o que acontece. Você pode ouvir palavras, ter uma lembrança ou ter uma sensação. Não precisa fazer nada com a resposta a não ser percebê-la, deixá-la vir à tona e então desaparecer.

- Repita o pensamento centrado, só uma vez. Espere a próxima resposta, seja qual for. Continue por dez ou vinte minutos.
- Permaneça sentado por um tempo ou então se deite, como descrito na meditação com o mantra.

Você notará que tudo pode acontecer enquanto medita no pensamento escolhido. Veja essas respostas como as camadas de uma cebola. Cada camada separa você do coração da cebola. As camadas precisam ser retiradas para o coração se revelar.

A consciência simples desmancha essas camadas separadoras. Digamos que você esteja meditando com o pensamento "Sou amor". Você diz isso a si mesmo, e a cada vez tem uma nova resposta. Por exemplo:

Você tem o pensamento "Não sou amor", uma forma de resistência.
A atenção vai para o coração. Isso é bom, indiferente ou não tão bom.
Você se lembra do seu primeiro amor ou da sua primeira desilusão amorosa.

Essas respostas afastam você do pensamento "Sou amor", fazendo-o não acreditar verdadeiramente nele. Não se detenha nelas. Elas desaparecerão no silêncio, e, junto com elas, você também entrará em um silêncio cada vez mais profundo. Em algum momento você pensará "Sou amor", e isso será totalmente crível. É real, é o seu verdadeiro eu.

> Não espere alcançar a meta logo na primeira vez ou sempre que meditar. A mente inconsciente é dinâmica e mutável. Tem reações de todo tipo, mas isso não tem mais importância. Você está usando o pensamento centrado para penetrar na consciência simples e sentir a presença do seu eu verdadeiro. Você foi atraído por uma força magnética muito sutil que em sânscrito é chamada de *Swarupa*, o encanto de ser o eu verdadeiro de si mesmo.
>
> O eu verdadeiro tem atraído você sutilmente ao longo de toda a sua vida, e a vida toda você tem vislumbrado as qualidades dos pensamentos centrados. Todos nós temos momentos de paz e amor intensos, um sentimento de que pertencemos a algo e de que estamos totalmente seguros. Ao utilizar o sistema de chacras, a sua conexão com o seu eu verdadeiro se fortalece. As qualidades da inteligência criativa também se fortalecem e passam a fazer parte de você.

A meditação é o primeiro e o principal uso dos chacras. A evolução, ou crescimento interior, vem em segundo lugar. Procure usar a inteligência criativa em atividade ao longo dos dias. Essa trajetória se beneficia de um aspecto-chave da consciência, que é ser evolutiva pela própria natureza. Ela quer se expandir, quer progredir, se aprofundar e descobrir mil caminhos diferentes para se expressar. Nos outros seres vivos a evolução é sobretudo física e as adaptações são focadas unicamente na sobrevivência, em encontrar comida e acasalar.

Apenas no *Homo sapiens* a evolução é infinita. Escolhemos o nosso próprio caminho evolutivo, individualmente. Os benefícios muitas vezes se espalham pela coletividade, como a eletricidade e o motor a combustão, que hoje estão por toda parte. Mas esses produtos físicos começaram na consciência. A Ioga diria que uma nova invenção requer certas qualidades da inteligência criativa, especialmente uma ideia brilhante ou uma súbita inspiração (o sexto chacra, o centro da inteligência), um sentimento estimulado pela nova descoberta (quarto chacra, onde se concentram as emoções) e a ação necessária para que a invenção possa se realizar (terceiro chacra, onde o poder de agir está concentrado).

Cada uma das qualidades da inteligência criativa contém a possibilidade de se fortalecer, renovar a si mesma de formas inesperadas e nos levar para as nossas áreas em que queremos crescer. O fluxo da inteligência criativa torna tudo isso possível sem nenhum esforço. E nós acompanhamos o processo natural da consciência se desdobrar em si mesma.

Nas páginas seguintes apresentarei em detalhes as possibilidades evolutivas de cada chacra. Possibilidades infinitas não serão mais sentidas como avassaladoras, e não teremos mais que reduzir nossos projetos a um punhado de experiências exequíveis. Uma visão da abundância repousará sobre possibilidades ilimitadas, e o sistema de chacras organizará cada nível de vida em que seja possível uma plenitude duradoura. Comecemos, então.

O SÉTIMO CHACRA
A FONTE DA FELICIDADE

O SÉTIMO CHACRA

Localização: *Topo da cabeça*
Tema: *Alegria*
Qualidades desejáveis: *Alegria, felicidade, êxtase*
Unidade
Totalidade

O chacra da coroa é o centro da alegria ou *Ananda*, em sânscrito. Uma vez reanimado, ele nos conecta com a própria fonte da alegria. A tradição iogue ensina que a consciência é, em si, pura alegria. Não precisamos de um estímulo externo – um belo pôr do sol, o sorriso de um bebê, uma trufa de chocolate – para ser felizes. Esses prazeres passam, mas a conexão com a fonte da alegria é constante e sempre presente. O único pré-requisito exigido é existir.

Se já existimos, para que serve o chacra da coroa? Na tradição iogue, é para onde a alma vai quando morremos ou no momento da libertação quando o iogue se ilumina. Esse evento não é a morte, é uma espécie de partida, é transcender o corpo para entrar e fundir-se com a consciência pura. Quando alguém se ilumina, está unido ao Ser. Em linguagem popular, "Eu sou" perde o "Eu" e resta somente "Sou".

Os vislumbres de felicidade e os momentos de alegria não são adequados para realmente abraçar Ananda. Todos os processos que mantêm a criação em andamento, o que inclui as células do corpo, o meio ambiente, milhões de espécies de micro-organismos e até a vibração de átomos e moléculas, todos são manifestações de Ananda. Mas, apesar da sua escala cósmica, temos que começar por aqui, na origem. Na vida diária, Ananda se relaciona com:

inspiração;
impulsos e buscas espirituais;
sentir-se vibrante e vivo;
despertar;
transcendência;
leveza do ser.

Juntos, esses são os fundamentos da espiritualidade. A Ioga interpreta a espiritualidade em termos de consciência-alegria, e não como Deus e crença religiosa. Não há nada mais evolutivo do que reanimar o chacra da coroa e sentir a alegria fluir na consciência.

Ananda é um conceito exótico e estranho no Ocidente. Na Índia moderna essa palavra não tem tanta relevância, embora seja bem conhecida na formulação *Sat Chit Ananda*, que significa "consciência-alegria eterna". Essa é a "matéria" básica da criação; não a que começa com "E no primeiro dia Deus criou", mas a que irrompe da consciência pura graças à infinita criatividade de Ananda. Colocar Ananda no centro da criação como uma espécie de força cósmica vibratória (não de todo diferente dos campos quânticos vibratórios que deram origem ao universo, segundo a física moderna) não ajuda as pessoas comuns. Mas foi uma descoberta feliz e abre caminho para o chacra da coroa em nossa jornada pelos sete chacras.

"SIGA A SUA ALEGRIA"

Sem usar a palavra *"Ananda"*, o famoso estudioso da mitologia Joseph Campbell a introduziu no Ocidente de uma forma aceitável. Ele deu origem à conhecida frase: "Siga a sua alegria". Com ela, Campbell criou uma nova forma de inspirar as pessoas no nível da consciência sem que elas soubessem que ele se referia à consciência. ("Siga a sua alegria" passou a circular amplamente em 1988, depois de uma entrevista que ele deu a Bill Moyers na televisão. Ela pode ser vista no YouTube em "Joseph Campbell Bliss".)

Campbell expôs uma visão radicalmente diferente da ideia de que o segredo do sucesso era trabalhar duro sem descanso e ser persistente. Ele explicou: "Siga a sua alegria, não tenha medo, e portas se abrirão onde você nem imaginava que poderiam estar".

A defesa de Campbell de uma vida alegre tinha profundas raízes espirituais. Ele acreditava que as raízes estão dentro de todos nós, onde reside um segredo. Isso fica mais claro quando avançamos um pouco mais em sua explicação. "Se você seguir de fato a sua alegria, tomará uma espécie de trilha que sempre existiu e só estava à sua espera." Em outras palavras, a alegria nos permite pisar no desconhecido sem correr riscos. Aliados invisíveis surgem para nos ajudar. Nas palavras de Campbell, ocorre uma transformação imensa quando "a vida que devemos viver é a que estamos vivendo".

Pergunte a si mesmo: "Qual é a vida que devo viver?" A maioria dá respostas de segunda mão. Destaquemos o verbo "dever". Todos nós temos origens formativas. Influenciados por uma educação rígida, alguns acreditam que "dever" é cumprir uma obrigação, seguir regras, defender valores morais. Pessoas de fé têm certeza de que "dever" é obedecer às leis de Deus. Para uma criança inocente que ri e brinca sem preocupações, "dever" é fazer o que se quer, é brincar até cansar. Assim, cada um à sua maneira, todos nós temos uma ideia preconcebida da vida que devemos levar, segundo modelos transmitidos pela família e pela sociedade, heróis e exemplos a serem seguidos.

Além disso, talvez nem seja desejável seguir a sua alegria. Por que abandonar um cargo de contador, gerente ou vendedor e passar a ser cantor de ópera, pintor ou produtor de rosas, porque é isso que você realmente ama? A vida normal sofreria uma ruptura se todos passassem a fazer só o que gostam. Mas é assim que é interpretada a explicação de Campbell.

A frase "Siga a sua alegria" precisa ser esclarecida para evitar confusão e contradições. "Fique no seu darma" não é uma frase de efeito, mas vai além do que disse Campbell. Neste livro já chegamos lá, mas há muito mais a ser dito sobre como a consciência-alegria torna possível todos os valores de amor, criatividade e inteligência e tudo o mais que flui através dos chacras. Os momentos de alegria nos dizem que podemos ser felizes. Mas não nos dizem que temos a consciência-alegria como nossa origem.

"EU ME BASTO"

A abordagem da vida pela Ioga se baseia na consciência, e esta tem somente dois estados: é móvel ou imóvel. Se Einstein está pensando na relatividade, Mozart está compondo uma sinfonia ou Shakespeare está escrevendo um soneto, a consciência está se movendo. Todo mundo conhece esse estado. Mas imagine Einstein, Mozart e Shakespeare tirando uma soneca. Agora a consciência não está se movendo. Mas essa aparente estase, em que nada acontece na mente, não muda o que eles são. Um gênio dormindo não deixa de ser gênio. O potencial permanece íntegro, mas não está ativado.

Esse exemplo tão simples tem grande importância. Se olharmos para nós mesmos e como está a nossa vida, as coisas que são mais valiosas para nós foram parceladas – temos muito e não mais de amor, inteligência, criatividade, sucesso e assim por diante. Tudo que obtemos acontece quando a consciência está em movimento. Mas o aspecto da consciência que não se move é a sua fonte, que é infinita. A consciência-alegria não é uma experiência em seu estado não móvel. É como um reservatório de onde extraímos amor, inteligência, criatividade etc.

Não é preciso ser um gênio para ter acesso a esse reservatório ilimitado – mas é preciso saber que ele existe. Outra metáfora: se você precisa de um carro novo, mas tem pouco dinheiro no banco, suas escolhas serão limitadas. Mas se tiver milhões, terá muito mais opções. Por várias razões você pode acabar comprando o mesmo modelo econômico que uma pessoa com muito menos dinheiro, mas faz toda a diferença saber que as suas economias continuam lá. Quem tem muito dinheiro no banco sabe que sempre terá dinheiro suficiente, o que é muito diferente de alguém saber que não tem dinheiro.

Agora, vamos trazer essa situação para o momento presente. Esqueça o que você possa pensar, sentir, dizer ou fazer. No nível em que a sua consciência não está se movendo, ou você diz "Eu me basto" ou diz "Eu não me basto". A diferença é a conexão com a sua fonte. É isso que torna o chacra da coroa tão importante: é onde a conexão acontece. Antes que a consciência-alegria entre na mente ativa, ela determina que somos totalmente completos. A totalidade está expressa na certeza silenciosa de que "Eu me basto".

Um famoso guru do sul da Índia, Nisargadatta Maharaj, explicou isso com uma metáfora. Um discípulo perguntou a ele como sabia que tinha se iluminado, e a resposta foi: "Sou como farinha. Muita coisa pode ser feita a partir de farinha: pães, macarrão, doces de todo tipo. Mas não sou nenhuma dessas coisas. Sou a própria farinha, não importa o que minha mente esteja fazendo, tenho certeza de que sou consciência pura". No *Bhagavad Gita*, Lorde Krishna expressa a mesma coisa, não como um ser iluminado ou um deus, mas como "Eu". "Não pode ser ferido pelas armas, queimado pelo fogo, molhado pela água ou seco pelo ar."

Todas essas são metáforas da totalidade, que não é afetada pela mudança. A Ioga ensina que a totalidade não é algo pelo qual alguém possa batalhar. Podemos mudar a nossa dieta para que contenha alimentos integrais, podemos trocar de médico por outro que pratique a medicina holística. Mas não podemos mudar a nós mesmos para nos tornarmos totais. Nós já somos totais, mas ainda não compreendemos isso. No *Gita*, Lorde Krishna define sabedoria com um único axioma: "Eu sou o campo e o conhecedor do campo".

"Campo" pode significar muita coisa, desde o campo de batalha (Krishna está aconselhando o guerreiro Arjuna no auge da batalha) até o campo quântico, cujas vibrações e ondas dão origem ao universo físico. Podemos aprender sobre qualquer campo e nos tornarmos "conhecedores do campo". Mas o conhecimento supremo só acontece quando dizemos: "Meu campo é a consciência". Apenas quando somos conhecedores da realidade propriamente dita.

Toda essa compreensão está contida em "Eu me basto", que por sua vez é a suprema expressão da abundância. Onde a consciência está imóvel, no seu estado puro, antes de se pôr em movimento.

"EU NÃO ME BASTO"

Se fazemos o contrário e confiamos na mente ativa e tudo o que ela produz – pensamento, sentimento, fala e ação –, jamais conheceremos a totalidade. A vida se tornará uma história, repleta de bons e maus momentos, boas e más lembranças, bons e maus impulsos. Todo mundo constrói uma história. Essa história se instala naturalmente na personalidade do ego, que está programada para focar em "eu, mim e meu". Se por sorte fizermos boas escolhas, é provável que a nossa seja uma história feliz. Antes de começar, ajuda ter algumas vantagens, como ser branco, homem, ter dinheiro e viver numa sociedade próspera. Mas, por melhor que seja a história, ela será baseada em um plano criado pelo ego. Plano que é baseado em razões familiares variadas:

O PLANO DO EGO

- Ter mais daquilo que queremos.
- Parecer bem aos olhos dos outros.
- Esconder as nossas culpas.
- Encobrir velhas feridas e mágoas.
- Não repetir experiências ruins do passado.
- Defender-se de possíveis ameaças.
- Formar um círculo fechado de familiares e amigos, e excluir os demais.
- Jamais olhar para os medos mais profundos, entre eles o medo da morte.

Tudo somado, o plano do ego está baseado em "Eu não me basto". Não há nenhuma conexão com o reservatório infinito da consciência. Em vez disso, há uma corrente contínua de escolhas do tipo ou/ou:

- Ou gosto ou me afasto.
- Ou quero ou não quero.
- Ou se encaixa no meu estilo de vida ou não.
- Ou melhora minha autoimagem ou piora.

Pode parecer que essa forma de encarar a vida é natural e que é o melhor jeito de viver: fazer as melhores escolhas para criar a melhor história possível. A Madison Avenue se esforça para mostrar ao consumidor opções que o fazem acreditar que o mais novo, o melhor e o ideal – em xampus, aspiradores de pó, pizzas congeladas ou carros de luxo – vão alavancar a sua autoimagem.

Mas agir conforme os planos do ego produz uma grande força contrária, que é motivo de frustração e insatisfação para milhares de pessoas, por mais que se esforcem. Essa força contrária é a incômoda sensação de "Eu não me basto". Mas dificilmente alguém se dispõe a abandonar os planos do ego. As razões disso se devem a racionalizações muito comuns:

- Não quero ser diferente.
- As coisas têm que melhorar – sempre melhoram.
- Só tenho que ser mais disciplinado.
- Só tenho que me esforçar mais.
- Eu me recuso a admitir o fracasso.

Esses sussurros do ego nos mantêm na linha. De uma maneira ou de outra, mantêm todo mundo na linha, até a microscópica fatia da população à qual pertencem as estrelas de Hollywood e do mundo da música, os endinheirados de Wall Street e aqueles que aparecem nas páginas das revistas de celebridades.

ATIVE O CHACRA DA COROA

Uma vez cientes da força contrária dos planos do ego, muitas pessoas sensatas gostariam de encontrar uma solução. A solução, de acordo com a ioga, é ativar o chacra da coroa, porque é ele que nos conecta com o reservatório da consciência-alegria. Algumas coisas já foram mencionadas em termos gerais:

- Fique na consciência simples. Quando perceber que não está nela, volte a se centrar.
- Medite com o mantra So hum (p. 108).
- Medite com o pensamento centrado "Eu sou" ou "Sou puro Ser" (p. 111).

Outras etapas da ativação do chacra da coroa são mais específicas. Como esse chacra é o centro da consciência-alegria, também o são as etapas que o ativam. Reflita sobre as sugestões a seguir e escolha em primeiro lugar aquelas nas quais se sinta mais confortável.

A consciência-alegria é *generosa*, por isso aproveite todas as oportunidades que surgirem para agir com generosidade. A generosidade do espírito é mais importante do que ser generoso com dinheiro. Quando somos generosos de espírito, demonstramos respeito por todas as pessoas. Encorajamos seus melhores impulsos sem criticar os piores. Somos afáveis e solidários. Abrimos o nosso coração sempre que possível e ajudamos o próximo a se sentir aceito.

A consciência-alegria é *dar*, então aproveite todas as oportunidades que surgirem para dar de si. O plano do ego gira em torno de receber, o que só reforça a atitude "Eu não me basto". A metáfora iogue diz que somos como uma árvore carregada de frutos cujos galhos se inclinam para o chão a fim de que todos possam colhê-los.

O que temos de mais valioso para dar é a nossa atenção centrada, mas também podemos dar a nossa admiração e aceitação, cujas recompensas são únicas.

A consciência-alegria é *inspiradora*, portanto, encontre uma fonte de inspiração e visite-a todos os dias. Pode ser uma música, uma poesia, as escrituras de uma tradição espiritual ou sua inspiração interior para construir algo belo. Tem grande valor encontrar alguém que necessite ser inspirado e estimular essa pessoa como você puder.

EXERCÍCIO DE RESPIRAÇÃO

A ioga prescreve muitos tipos de respiração controlada, que costumam fazer parte das aulas da hataioga. Mostramos aqui um exercício simples que usa tanto a respiração quanto o estímulo visual. O propósito é ver e sentir o caminho traçado pela consciência-alegria dentro de você.

- Sente-se com as costas retas em um local silencioso com os olhos fechados.
- Respire naturalmente. Ao inspirar, visualize uma luz branca saindo do seu coração e subindo para o alto da cabeça. Quando exalar, visualize a mesma luz branca descer pelo seu corpo e sair pela sola dos pés.
- Não force a respiração a entrar em um ritmo uniforme, e tudo bem se você perder de vista a imagem da luz enquanto respira.
- Continue respirando por mais cinco minutos e então permaneça calmamente na consciência simples.

O SEXTO CHACRA
INTELIGÊNCIA SUPERIOR

O SEXTO CHACRA

Localização: Testa/terceiro olho
Tema: Inteligência
Qualidades desejáveis: Sabedoria
Percepção
Intuição
Imaginação

O tema do sexto chacra é a inteligência, uma qualidade incomparável do *Homo sapiens*. Em termos simbólicos, é onde a consciência-alegria é transformada em mente, com seu fluxo constante de

125

pensamentos, percepções, raciocínios e intelecto. No mundo moderno, essas funções criaram um elenco infinito de tecnologias e avanços científicos.

Mas essa mesma racionalidade pode também se transformar em uma criatividade diabólica com grande poder de destruição. Ao criar armas nucleares e bioquímicas, e métodos cada vez mais sofisticados de mortandade em massa, a racionalidade é responsável por horrores dos quais parecemos nunca escapar. Cada nova arma que surge é aceitável por quem a cria e por quem a usa. Essa realidade trai um dos princípios básicos da Ioga: a evolução – ou seja, a consciência progressiva – é o caminho que todos nós deveríamos tomar. Se a alegria é a medida do sucesso, como podem os aspectos destrutivos da razão ser outra coisa senão um retrocesso? Ações perfeitamente racionais fizeram mais do que criar o horror da guerra moderna. O uso de combustíveis fósseis e os motores a combustão foram triunfos do progresso, até que os estragos ao meio ambiente por eles causados fossem tragicamente revelados.

Para ativar o sexto chacra, a "inteligência" tem que incluir formas mais sutis de como a mente opera, ou seja, a intuição, a percepção e a imaginação. A Ioga dá mais importância a isso do que à racionalidade, porque a mente sabe nos dizer quando uma ideia que parece sensata tem laivos destrutivos. Isso pode ser facilmente trazido para o nível pessoal. Aqueles que fazem escolhas erradas em um relacionamento costumam se lamentar: "Não sei como não percebi quem ele era realmente" ou "Quando ela disse que queria se separar, fui pego de surpresa". Seria muito melhor se esses sinais fossem captados intuitivamente desde o início; e, uma vez que estejamos conectados ao darma, não há necessidade de nos preocuparmos mais com questões pessoais, como os relacionamentos. A inteligência criativa tem uma qualidade que nos orienta a partir de nosso interior, a *sabedoria*, que está centrada no sexto chacra.

Quando esse chacra está ativado, abre-se o "terceiro olho", uma referência a esses poderes mais sutis (não existe um terceiro olho físico). Uma crença muito difundida é que a intuição existe, mas na Ioga essa crença não está em questão. O que importa é se podemos confiar nos nossos *flashes* da intuição, pressentimentos e sensações – todos os impulsos mentais sutis em relação aos quais as pessoas totalmente racionais (como elas se veem) são céticas.

Certas pessoas confiam tanto na intuição que mantêm suas antenas ligadas, em busca de indicações que a maioria de nós ignora. ("Sensitivos" é um termo que designa os mais intuitivos.) De um modo geral, a confiança nos poderes mais sutis da mente diminuiu sensivelmente. O homem moderno se distanciou das culturas ancestrais que acreditavam em oráculos, viam os sonhos como profecias e sentiam a presença divina emanar de santos e relíquias sagradas. As grandes civilizações se originaram da potência dessa visão que conectava os seres humanos à eternidade.

Obviamente, o caminho de volta não é abandonar a nossa moderna visão de mundo, mas expandir a realidade. Se para você a razão é o guia mais importante da vida, como provavelmente defenderiam os cientistas, os seus poderes racionais são reais e tendem a aumentar. Se para você a intuição é tão importante quanto a razão, ela é real e tende a aumentar. O ideal seria usarmos os dois aspectos. De acordo com a neurociência, um dos lados do cérebro, ou o direito ou o esquerdo, é dominante em cada um de nós. Esse fato foi popularizado como a noção de que há "pessoas do cérebro esquerdo" (racionais, boas em solucionar problemas e lógicas) e "pessoas do cérebro direito" (criativas, intuitivas e artísticas). Mas a verdade é que os dois hemisférios do cérebro se complementam e funcionam de maneira coordenada.

Na Ioga existe a abordagem do cérebro total ou, mais precisamente, a abordagem da mente total. Não se adquire intuição expulsando ou ignorando a razão, mas abrindo-se para níveis mais sutis da mente. Afinal, um matemático pode ser altamente criativo – esse é um dos maiores elogios que se pode fazer a quem encontra uma solução até então desconhecida na área de matemática avançada. Ou você pode ter uma mente musical, como a do compositor Johann Sebastian Bach, que foi inigualável em organizar as notas em complexas configurações conhecidas como contraponto.

PESQUISA DA MENTE TOTAL

A inteligência criativa é o alimento da mente, mas, à medida que o tempo passa, desenvolvemos peculiaridades que virão a se tornar o nosso *mindset*.* Se nos vemos como lógicos e racionais, artistas e os "tipos criativos" são tão diferentes de nós que a nossa tendência é desconfiar deles. Ter o *mindset* na direção oposta é ser completamente intuitivo, ter a cabeça sempre nas nuvens e nenhuma utilidade para os "tipos do cérebro esquerdo".

Mas um *mindset* raramente é tão simples. Para saber quanto um lado seu é mais favorecido que o outro, marque cada uma das afirmações a seguir que mais se aplicam a você.

A MENTE LÓGICA/RACIONAL

___ Cumpro as minhas tarefas metodicamente.

___ Mantenho meu espaço de trabalho limpo e organizado.

___ Leio artigos de ciência, tecnologia, medicina ou finanças.

___ Sou bom em consertar coisas em casa.

---

* *Mindset* costuma ser traduzido como "mentalidade", envolvendo as atitudes em geral da pessoa e como ela pensa sobre tudo. O termo é mais utilizado em inglês e foi mantido neste livro. (N. do T.)

O sexto chacra: Inteligência superior

___ Eu me sentiria à vontade dando aulas de matemática para uma criança.

___ Escolhi física, química ou matemática na faculdade.

___ Gosto de jogos mentais e quebra-cabeças.

___ Acho que a ciência é a melhor abordagem para resolver problemas complicados.

___ Acredito que a tecnologia solucionará a crise climática.

___ Creio que um dia cientistas criarão um computador que tenha inteligência igual à humana.

___ Penso que a chave da consciência está no cérebro.

___ Sou o mais racional no meu relacionamento pessoal.

Pontuação: (0 – 12)

A MENTE INTUITIVA/CRIATIVA

___ Eu me considero criativo.

___ Tenho um bom faro para saber como as pessoas são realmente.

___ Gosto mais de inventar receitas do que me basear em livros de culinária.

___ Sei pintar, dançar ou tocar um instrumento.

___ Consigo sentir o astral de um ambiente assim que entro nele.

___ Percebo rapidamente como está o humor de uma pessoa.

___ Sou totalmente contra a violência.

___ Faço compras por impulso e não me arrependo.

___ Sou um pai/uma mãe carinhoso(a).

___ Leio artigos sobre arte.

___ Sinto-me inspirado pela poesia ou por textos sagrados.

___ Tenho um lado infantil.

Pontuação: (0 – 12)

AVALIE A SUA PONTUAÇÃO

Se a sua pontuação tende acentuadamente para Lógico/Racional ou para Intuitivo/Criativo, você tem um *mindset* forte. Uma vez estabelecido o seu *mindset*, as pessoas tendem a fixar-se nele, predispondo-se a ter um comportamento que vai fortemente nessa direção. Neste teste, a maior pontuação para cada seção é 12, e, se você pontuou perto do máximo, está identificado com o seu *mindset*. Essa é sua visão de mundo, na verdade. Se a sua pontuação na *outra* seção foi 4 ou menos, você tende a ignorar ou ser intolerante com pessoas cujo *mindset* é oposto ao seu.

Se a sua pontuação foi mais ou menos igual em ambas as seções, você não é muito preso ao seu *mindset*. Abre espaço para a lógica, a ordem e o método, mas também para a criatividade, os pressentimentos e a inspiração.

Se você pontuou 9 ou mais em *ambas* as seções, considere-se uma pessoa rara. Em vez de se fixar em um *mindset*, você combina o que há de melhor na racionalidade e na intuição. Para a ioga, você está sintonizado com o fluxo da inteligência criativa, que alimenta os dois lados da mente.

Se pontuou 5 ou menos em ambas as seções, ou você teve dificuldade para se avaliar nessas questões ou fez o teste com muita pressa e não refletiu sobre elas.

ULTRAPASSE O SEU MINDSET

Estar conectado ao seu *mindset* pode ser muito vantajoso. O *mindset* Racional/Lógico foca nitidamente em ciência e tecnologia e faz de você uma pessoa metódica e organizada, podendo levá-lo a uma carreira satisfatória como contador, técnico, administrador e em muitas outras ocupações consideradas de "cérebro-esquerdo". Se você é muito mais Intuitivo/Criativo, tende a ter sucesso nas artes ou em qualquer outra atividade criativa, como a gastronomia e a decoração. O estilo de vida que mais o satisfaz é o que lhe dá liberdade para se expressar, seguir a sua intuição e se envolver emocionalmente com os outros.

Contudo, a Ioga diz respeito a sair do seu *mindset*. Um *mindset* forte é unilateral, mas não é essa a questão. A questão é ser receptivo ao fluxo de inteligência criativa, que se caracteriza por uma mente aberta, flexível, não bloqueada por convicções estagnadas e capaz de se renovar constantemente através da beleza, do amor, da curiosidade, da descoberta e dos *insights*. Em outras palavras, o seu estado de consciência é muito mais importante do que qualquer *mindset*, não importa quão bem-sucedido este possa ser.

A Ioga ensina que a consciência não abre mão de nada. A razão não é diminuída pela intuição; a intuição não é prejudicada pela razão. A meta deve ser a mente total, que é a melhor e a mais verdadeira definição de inteligência.

Para sair do seu *mindset*, algumas etapas já foram mencionadas neste livro. Permaneça na consciência simples. Tire um tempo para se centrar quando estiver estressado ou distraído. Escolha comportamentos que favoreçam o sucesso (veja o tópico "Como ganhar dinheiro de maneira certa", na p. 64, em vez daqueles que não o favoreçam (veja o tópico "Como ganhar dinheiro de maneira errada", na p. 61. Mas esses passos, por si sós, não nos permitem reconhecer a importância de sair do *mindset*, o que deve acontecer em primeiro lugar.

A mente tem um poder tão grande porque atribui significados à experiência em estado bruto. Por exemplo, pense na cor vermelha. Isso quer dizer alguma coisa? Em si e por si só, não, porque o vermelho é apenas um comprimento de onda de luz que provoca uma vibração específica nas células da nossa retina, a membrana que recobre a face interna dos olhos. Mas, quando a mente entra em ação, a magia acontece, e o vermelho se torna símbolo de muitas coisas: paixão, raiva, sangue, perigo, sinal para parar o carro no semáforo. "Vi tudo vermelho" significa que você ficou enraivecido, embora um cartão com o desenho de um coração vermelho seja sinal de amor e, no simbolismo do catolicismo romano, o sangue jorrando do coração de Jesus indique tanto compaixão quanto um grande sofrimento. Da mesma maneira, toda matéria da vida – o que vemos, ouvimos, tocamos, degustamos e cheiramos – tem algum significado que lhe é atribuído pela mente.

Tendo atribuído um significado à experiência bruta, nós automaticamente a valorizamos. Você sabe, por exemplo, por que vai comprar um carro vermelho ou usar um vestido vermelho. Ao atribuir valores às suas experiências, você está desenvolvendo o seu *mindset*. São necessários muitos anos e milhares de experiências isoladas, desde que nascemos, para criarmos o nosso *mindset*. É muito difícil mudar um *mindset* estabelecido, principalmente se passamos por fortes experiências emocionais e psicológicas.

Essa foi uma lição que aprendi recentemente, quando me falaram sobre Jeanne, amiga de um amigo que mora na França. Jeanne é professora na periferia de Paris, uma pessoa inteligente e capacitada. É uma mulher liberal de mente aberta, mas tem um ponto cego: os muçulmanos. Ela é rápida em detectar quaisquer notícias negativas sobre eles, particularmente os que imigraram para a França.

Após ter recebido de Jeanne alguns e-mails irados falando mal de muçulmanos, respondi da maneira mais polida possível. Ela contestou, dizendo que não é preconceituosa. Pelo contrário, ela tivera uma experiência pessoal que justificava essa sua aversão.

Aconteceu quarenta anos atrás, quando Jeanne era uma jovem professora da escola secundária francesa. Uma menina muçulmana entrou na classe usando um lenço na cabeça. Ao perceber os olhares curiosos das outras crianças, Jeanne chamou a aluna de lado e lhe disse, muito delicadamente, que seria melhor ela não usar lenço na escola. Sem dizer nada, a menina lhe deu um tapa no rosto e saiu da sala. Jeanne nunca esqueceu esse incidente e até hoje responsabiliza todos os muçulmanos por ele. Enquanto alguns descreveriam o incidente como rude e desagradável – a ação de uma pessoa que entendeu de maneira errada a sugestão bem-intencionada de Jeanne –, esta o via como algo muito mais profundo e insidioso. Ele se tornou parte permanente de seu *mindset* contra os muçulmanos em geral.

Um *mindset* é produto de experiências que nem sempre são traumáticas. A maioria das pessoas não tem consciência de quantas delas já vivenciaram. Um *mindset* se assemelha a um recife de corais que se constrói pela acumulação de um pólipo de coral por vez. Não se muda uma construção tão sólida da noite para o dia.

Felizmente, não é preciso fazer isso. O que se deve fazer é muito mais simples: ultrapassar todo o *mindset* de uma vez. Um cético murmuraria: "Mais fácil falar do que fazer", e ele estaria certo se fôssemos prisioneiros do nosso *mindset*. Mas não temos que ser. Não importa se reagimos mecanicamente às mesmas experiências que se repetiram muitas vezes, a nossa mente não é uma máquina. Quando usamos um computador ou um *smartphone*, há uma linha reta entre *input* e *output*. Se perguntarmos a Siri como estará o tempo hoje, a resposta será sobre o tempo. Se fizermos a mesma pergunta a uma pessoa, porém, qualquer resposta é possível, incluindo, por exemplo, "Não sei", "Como posso saber?", "Descubra você mesmo", "Quem se interessa por isso?", "Me deixe em paz" ou "Se jogue no lago". Quando conversamos com alguém, nada garante que ouviremos o que gostaríamos de ouvir.

Computadores estão conectados para a lógica. Nós, seres humanos, estamos conectados para uma infinidade de experiências, que foram recebidas por nós em um canal fechado ou aberto. Não faz parte da nossa configuração que devemos reagir com medo, preconceito ou com uma mente fechada. Essas são partes autocriadas do ego, na sua postura de autodefesa. Ao recusar o que é diferente ou inesperado, o ego constrói muros que são completamente imaginários – em um nível mais profundo da consciência, continuamos conscientes de tudo que acontece conosco.

SABEDORIA

Parece ironia, mas a consciência não tem boa reputação. A máxima "O que eu não sei não me prejudica" é falsa. "A ignorância é uma bênção" é uma definição errônea de bênção. Ainda assim, muitas pessoas querem saber o menos possível sobre o que as ameaça e, consequentemente, deixam de ter consciência da própria vida. Estão fadadas a se manter inconscientes a maior parte do tempo e a temer ter mais consciência, porque acreditam que saber demais causa sofrimento. Em essência, isso é repudiar a inteligência criativa.

Podemos escolher se queremos ou não saber tudo o que é possível sobre uma doença ou uma cirurgia que faremos, mas não é essa a questão. O sexto chacra diz respeito à *sabedoria*, que é um estado da consciência, não um conjunto de fatos e informações. No *Bhagavad Gita*, Lorde Krishna declara: "Eu sou o campo e o conhecedor do campo".

A palavra "campo" tem três significados. O primeiro é o campo da atividade, aqui representada por um campo de batalha, pois o *Gita* ocorre na véspera da batalha. O conhecedor do campo é um guerreiro como Arjuna, que ouve a fala de Lorde Krishna disfarçado de cocheiro. O segundo campo é o corpo; por habitarmos um corpo físico, sabemos o que é sentir dor e prazer. O terceiro campo é o mais importante, porque é o campo da consciência. De acordo com o ensinamento de Lorde Krishna, que é pura Ioga, a sabedoria só vem para quem conhece esse campo. Os que conhecem apenas os campos da atividade e da experiência de estar em um corpo físico estão iludidos, ou melhor, foram induzidos ao erro. Julgam a vida a partir do nível da atividade física e mental, enquanto a sabedoria vem da própria fonte.

Consideremos, então, uma frase que Platão atribui ao seu mentor, Sócrates: "Tudo que sei é que nada sei". Por que um filósofo célebre pela sua sabedoria diria isso? Faz Sócrates parecer contrário ao conhecimento. Na verdade, o tipo de conhecimento a que ele se opõe é o conhecimento ilusório. Seus antagonistas filosóficos, os sofistas, professores dos melhores jovens de Atenas, diziam a estes que a sabedoria podia ser passada de mestre para discípulo. Mas o que Sócrates ensinava era o conhecimento intuitivo interior. "Tudo que sei é que nada sei" refere-se a um estado da consciência em que não há nada para saber, porque a sabedoria é inata a todos nós.

Se estivermos alinhados com o fluxo da inteligência criativa, emergiremos com pensamentos exitosos. Mas eles são secundários. Em primeiro lugar e acima de tudo está o seu estado de consciência. Quanto mais confiamos em um *mindset*, mais desconectados estamos da nossa sabedoria interior. Era a isso que o grande romancista inglês D. H. Lawrence se referia quando escreveu: "Tudo o que sabemos é nada; somos meramente cestos de papel abarrotados, a menos que possamos rir de tudo o que sabemos".

SEJA UM PENSADOR CONSCIENTE

Seja em que campo for, os pensadores mais bem-sucedidos têm uma coisa em comum: eles pensam por si mesmos. Não estão presos em crenças de segunda mão. Não são influenciados por opiniões alheias. Velhos condicionamentos não dominam o seu processo de pensamento.

Quanto você pensa por si mesmo? Essa é uma pergunta importante, e vale a pena pensar nisso de maneira muito honesta, respondendo ao questionário a seguir.

QUESTIONÁRIO

VOCÊ PENSA POR SI MESMO?

Responda às quinze perguntas marcando com um X em "Concordo" ou "Discordo". Se ficar em dúvida, pense no seu passado e não no que estiver pensando neste exato momento.

Em geral quero agradar.
Concordo ☐ Discordo ☐

Voto sempre no mesmo partido político.
Concordo ☐ Discordo ☐

Não gosto de chamar a atenção ou que reparem em mim.
Concordo ☐ Discordo ☐

Acredito que, se não se pode falar bem de alguém, é melhor não dizer nada.
Concordo ☐ Discordo ☐

Não sou líder nem quero ser.
Concordo ☐ Discordo ☐

Não tenho nada de tão especial.
Concordo ☐ Discordo ☐

As pessoas não me acham esquisitão.
Concordo ☐ Discordo ☐

Em vez de discutir, prefiro não dar a minha opinião.
Concordo ☐ Discordo ☐

Quase nada na minha vida me inspira.
Concordo ☐ Discordo ☐

É importante se sacrificar pelo time.
Concordo ☐ Discordo ☐

Ninguém me vê como mentor ou como exemplo.
Concordo ☐ Discordo ☐

Metas sensatas são melhores que sonhos absurdos que nunca se realizarão.
Concordo ☐ Discordo ☐

Na minha família costumamos pensar da mesma maneira.
Concordo ☐ Discordo ☐

Desafios mentais difíceis me intimidam.
Concordo ☐ Discordo ☐

Não sou especialista em nada.
Concordo ☐ Discordo ☐

Total: Concordo = ___ Discordo = ___

AVALIE A SUA PONTUAÇÃO

Pensar por si mesmo se contrapõe a ser conformista. Se marcou "Concordo" dez vezes ou mais, você é excepcionalmente conformista. Se marcou "Discordo" dez vezes ou mais, é excepcionalmente inconformista. Esses resultados não são julgamentos de valor. Eles indicam crenças inconscientes e ideias preconcebidas sobre como a vida funciona.

Todos temos dentro de nós uma mescla de conformista e inconformista, de modo que a maioria das pontuações se dividirá igualmente entre "Concordo" e "Discordo". Às vezes pensamos por nós mesmos, mas às vezes também confiamos no que os outros pensam. A menos que valorizemos o não conformismo, contudo, não conseguimos realmente pensar apenas por nós mesmos. A nossa programação interior nos impede de fazê-lo, de modo sutil e muitas vezes nem tão sutil. Uns associam o não conformismo com ativismo social, protestos, a ser uma pessoa excêntrica ou esquisita. Outros o associam a ideias radicalmente novas, como as de um Newton ou um Einstein.

É difícil valorizar a si mesmo por ser original quando o puxão da conformidade faz você ter medo de ser original *demais*. Você já deve ter ouvido falar da "síndrome da papoula alta", a prática de envergonhar quem sobressai na multidão. Um artigo *on-line* descreve essa síndrome da seguinte maneira: "Dizem que os australianos costumam cortar as papoulas que crescem mais que as outras para humilhá-las. Essa prática

> provavelmente tem origem no obsoleto sentido da palavra 'papoula' no século XVII, quando se referia a 'alguém ilustre e proeminente, em geral com prováveis indicações de humilhação'".
>
> Mas o que importa é livrar-se de armadilhas como a papoula mais alta que deve ser cortada ou como o egocêntrico que precisa se destacar na multidão. Em ambos os casos, o que está no controle são motivações inconscientes. Tanto faz se alguém aprova ou desaprova, o que importa é saber que você é original.

Tudo é muito mais simples se confiamos no pensamento automático. Temos respostas, opiniões, crenças e julgamentos que já vêm prontos. Mas a vida é dinâmica. Muda constantemente e não se encaixa em respostas automáticas.

Programamos a nossa própria mente e também permitimos que forças externas a programem por nós. Os dois processos acontecem simultaneamente. O agente mais poderoso da autoprogramação é o ego. A vida de cada um se constrói em torno da "minha família", do "meu trabalho", do que "eu gosto e não gosto". Mas ninguém diz "o meu céu" ou "o meu horizonte". O oceano não é "o meu mar", mesmo que eu more muito próximo dele. A experiência é universal.

De maneira muito sutil, o ego é muito mais limitador do que imaginamos. "Eu" não é uma palavra inocente. Por trás dela há interesses egocêntricos. Quem segue os objetivos do ego pensa mais ou menos assim:

- Sou mais importante do que os outros aqui.
- O que tenho a dizer é importante.

- Só quero ser o melhor.
- O que importa é vencer. Perder é intolerável.
- Só estarei satisfeito quando chegar ao topo.
- A competição é darwinista. Só os mais aptos sobrevivem.

É assim que pensam as pessoas altamente competitivas e bem-sucedidas que servem de exemplo a ser seguido, ou os psicopatas, desprovidos de culpa? A linha que separa uns dos outros é muito tênue e, garantem os psicólogos, muitos líderes famosos estão muito próximos da psicopatologia. (O biólogo e filósofo francês Jean Rostand declarou: "Mate um homem e você é um assassino. Mate milhões e você é um conquistador. Mate todos e você é um deus".)

Cada um de nós tem uma caixa invisível onde estão guardados todos os elementos do ego, e sem termos nenhuma patologia pegamos ali pensamentos que reforçam o "eu", o "mim" e o "meu". Reflitamos agora sobre esse produto do ego que são os pensamentos automáticos.

O MEU EGO PENSA POR MIM QUANDO...

- quero causar boa impressão, até em desconhecidos;
- insisto em ter razão;
- não abandono uma discussão até vencê-la ou o outro desistir;
- gosto de ser bajulado;
- preciso da aprovação dos outros;
- sempre me manifesto em reuniões, mesmo que não tenha muito a dizer ou que todos estejam cansados;
- ignoro os que passam necessidade;
- procuro meios de agir de forma dominadora;
- tenho um ar de superioridade;
- considero as minhas opiniões as mais importantes;

- vejo os meus concorrentes como inimigos pessoais;
- acredito que faço mais pelo meu relacionamento do que o meu parceiro;
- exijo que meus filhos pensem bem de mim;
- nego atenção, elogios e até sexo para punir a outra pessoa.

A intenção dessa lista não é fazer você se sentir mal, mas indicar que as prioridades do ego são onipresentes e como o nosso comportamento no dia a dia cumpre essa programação das mais variadas formas. O ego não é necessariamente o culpado – um forte senso de si mesmo é valioso, e todo mundo tem que desenvolver desde criança um senso de si mesmo, seja ele forte ou fraco, para sobreviver. O erro está em deixar que o ego se torne uma entidade separada, aquela voz dentro da cabeça pela qual não nos responsabilizamos. Os excessos do ego são criações da mente e consequências da nossa autoprogramação.

Outra fonte de pensamento automático é a programação social. A sociedade tem suas próprias prioridades, que são muitas. Quando cedemos a qualquer agenda social, colocamos os outros em primeiro lugar. Mas esse falso altruísmo é um engodo. Concordar com as normas de um grupo ou de uma tribo pode parecer algo inocente à primeira vista, e o pensamento automático resultante dessa adesão quase sempre torna a nossa vida mais fácil. Soa despretensioso e singelo ter pensamentos como estes:

- O trabalho em conjunto é necessário para realizar algo importante; nesta equipe não existe "eu".
- Quanto mais apoio recebo, maior é a minha chance de ser bem-sucedido.
- Temos todos que nos unir quando as coisas ficam difíceis.
- Nada é mais importante que a família.
- Não sou talhado para ser herói.
- Se me der bem com todos, muitos problemas se resolverão.
- Sociedade significa lei e ordem.

Esses pensamentos são produtos de um condicionamento social que começou na infância. Desde os primeiros dias nossos pais nos dizem o que fazer, conhecemos pessoas a quem obedecemos, seguimos, imitamos, admiramos, somos leais e consideramos melhores que nós mesmos. O problema, assim como no caso das prioridades do ego, é que seguir cegamente as prioridades sociais pode nos levar a cometer excessos. Pare e considere se as seguintes agendas sociais programaram você de formas indesejáveis.

A SOCIEDADE PENSA POR VOCÊ SEMPRE QUE VOCÊ...

- concorda com os outros para se dar bem;
- embarca em pensamentos do tipo nós-contra-eles;
- tem medo de entornar o caldo;
- faz vista grossa quando os seus fazem algo errado;
- apoia um líder político por fidelidade partidária, mesmo que ele seja incompetente;
- acredita secretamente que pessoas negras são inferiores;
- põe em primeiro lugar coisas como raça, religião, partido político e nacionalidade;
- protege da polícia um membro da família, mesmo que seja culpado;
- apoia automaticamente todas as guerras em que seu país entra;
- considera arruaceiros os que protestam;
- apoia a polícia, seja no que for;
- é um fanático raivoso por esportes;
- tem dificuldade para expressar a sua verdade;
- apoia as corporações acima dos interesses individuais;
- vai para onde sopra o vento.

Pelo fato de as agendas sociais abarcarem um grande número de pessoas – diferentemente da agenda do ego, que diz respeito a um único indivíduo –, esses excessos têm consequências terríveis. As piores guerras são produtos do nacionalismo; o tratamento cruel dado às minorias está baseado no pensamento nós-contra-eles. Programado por uma agenda social, um povo que apoia cegamente um Hitler, um Stálin ou um Mao é levado a acreditar, com toda a sinceridade, que eles fazem a coisa moralmente certa. Os seguidores de líderes autoritários não mudam o seu modo de pensar mesmo depois que a crueldade e as ilegalidades cometidas por eles são expostas. Pelo contrário, é provável que a lealdade do seguidor cresça e se fortaleça quanto mais cruel for o líder.

É claro que, na média, o comportamento das pessoas está dentro dos limites do socialmente aceitável, mas uma mente programada não deixa de ser o que é. A maioria das pessoas não está preocupada em desprogramar a própria mente. Elas são mais propensas a assimilar as prioridades do ego ou sociais que mais se adéquam ao seu temperamento. Uma agenda, e não outra, controla reações que são exibidas sem pensar. Considere os exemplos que se seguem:

- No aeroporto, é anunciado o cancelamento de um voo. Uma pessoa reclama: "Isso não pode acontecer. Tenho que estar sem falta em tal lugar". Outra diz: "Vou me sentar e esperar. Eles darão um jeito nisso".
- Uma professora do jardim da infância liga para uma mãe e informa que Johnny bateu em uma criança menor, que está chorando. A mãe diz: "Não foi meu filho. Você está enganada". Outra mãe diz: "Sinto muito. Temos que saber o que aconteceu".
- Abriu-se uma vaga de gerente na empresa. Um funcionário diz: "Eu mereço essa promoção. Ninguém aqui está mais qualificado do que eu". O seu colega diz: "Posso aumentar as minhas chances de ser promovido chegando mais cedo e caprichando mais no trabalho".

Em cada um desses exemplos, a primeira pessoa está seguindo uma agenda do ego, e a segunda, uma agenda social. Encontrar um meio-termo não é fácil, porque os pressupostos de cada agenda são muito divergentes. É por isso que tanta gente simplesmente aceita um *mindset* sem questionar. O estresse é provocado por estarmos divididos entre duas forças concorrentes, uma pessoal e outra, social. As peças de Shakespeare são repletas de conflitos desse tipo. Romeu ama Julieta, mas as respectivas famílias se odeiam. Hamlet sabe que há algo de podre no reino da Dinamarca, mas clama, angustiado: "Oh, maldito rancor, que nasci para corrigir!" Júlio César diz, antes de morrer, "Até tu, Brutus!", acusando o amigo de ser desleal e conspirar com o inimigo.

Além do âmbito da tragédia, a lição que tiramos aqui é que *o pensamento automático nunca é o melhor*. Entender isso é crucial para começarmos a pensar por nós mesmos. Mas ainda estamos muito distantes da inteligência criativa. Só ela permite que sejamos bons pensadores em qualquer situação. Fundamentalmente, o que a inteligência criativa nos dá é sabedoria. Sabedoria *é* inteligência criativa.

ANATOMIA DA SABEDORIA

- Mente aberta
- Respostas flexíveis
- Percepções claras
- Pensamentos desanuviados
- Ausência de preconceitos
- Expectativas positivas

É aqui que a inteligência criativa é muito mais eficaz que o pensamento rotineiro. Pense na sua experiência nas aulas de matemática do ensino médio. O professor dá a aula daquele dia, e depois? Alguns alunos gostam de matemática, absorvem-na rapidamente, abrem-se para novos desafios e confiam que terão boas notas. Outros se aborrecem ou se sentem inseguros sobre o que aprenderam. Outros ainda entram em pânico e carregam esse sentimento pelo resto da vida. A diferença entre sucesso e fracasso não poderia ser mais óbvia, e mesmo assim não sabemos explicar a nós mesmos as nossas próprias reações em uma infinidade de outras experiências e confrontos. Às vezes seguimos em frente com a mente aberta, outras não. Em algumas situações, temos expectativas positivas; em outras, tememos o pior.

Há muitas razões para deixar de confiar nessa miscelânea de reações. Elas são inconsistentes e não confiáveis. A cada situação negativa reforçamos a nossa falta de confiança, a nossa confusão e a nossa incerteza. Os preconceitos se confirmam. A mente se estreita. Mas os séculos de tradições de sabedoria nos mostram como usar a inteligência criativa ao máximo. Os princípios norteadores são atemporais. Eis os mais importantes:

- Você só precisa da consciência simples.
- A mente tem um nível de consciência em que existem soluções para todos os problemas.
- Aja a partir desse nível de solução.
- Confie na inteligência criativa – ela permeia todos os aspectos da vida.

A consciência simples é uma experiência de limiar. Quando damos à mente acesso ao fluxo da inteligência criativa, nós nos alinhamos com a sabedoria. A verdadeira sabedoria é dinâmica e está viva. Ao confiarmos na inteligência criativa, afastamos a nossa mente de qualquer agenda baseada no ego ou no condicionamento social. A ideia do limiar é que há alguma coisa do outro lado. No sistema de chacras, o que está do outro lado é mais transformação.

Ainda não mencionei os chacras, mas, ao ampliar o real significado de *inteligência* à luz da Ioga, estamos entrando na área do sexto chacra. Prestando atenção à mente, estamos ativando esse chacra, mas há outras coisas que podemos fazer para nutrir a consciência, que é a verdadeira chave para a inteligência superior em suas muitas formas.

ATIVE O CHACRA DO TERCEIRO OLHO

Esse chacra ativa todos os aspectos da mente, mas especialmente a intuição, os *insights* e a imaginação. Podemos fazer algumas coisas que se aplicam a todos os chacras:

- Fique na consciência simples. Quando perceber que não está nela, volte a se centrar.
- Medite com o mantra Om (p. 108).
- Medite com o pensamento centrado "Eu sei" ou "Sou sabedoria" (p. 111).

Outros passos ativam mais especificamente o chacra do terceiro olho. O que importa é afastar a consciência da atividade mental e trazê-la para o nível da sabedoria. Isso é feito desenvolvendo-se a intuição, porque a sabedoria é o conhecimento intuitivo. Intuição é a capacidade de ver o que os olhos não veem. É vivenciar um conhecimento direto sem a informação. Pode ser um *insight* ou súbitos *flashes* de certeza.

EXERCÍCIO 1: CONHECIMENTO DIRETO

A intuição na sua forma mais pura é o conhecimento adquirido diretamente, sem motivo nenhum. Feche os olhos e pergunte onde está um objeto perdido. Visualize esse objeto. Veja onde ele está agora, esperando a sua mente lhe dar uma imagem clara e detalhada. Imagens difusas e efêmeras costumam vir do desejo de não falhar no exercício ou refletem palpites prévios e lugares que você já olhou.

Se não tiver uma imagem visual forte, peça para encontrar o objeto o mais rápido possível; peça que seja devolvido a você porque precisa dele. Esse exercício tem resultados surpreendentes. As pessoas ou veem claramente o objeto perdido ou são levadas a encontrá-lo logo depois.

EXERCÍCIO 2: VISUALIZAÇÃO À DISTÂNCIA

Intuir também implica perceber o mundo de um modo que seja impossível quando somos limitados pelos cinco sentidos. Para ganhar confiança de que você tem esse tipo de percepção, faça o seguinte:

1. Encontre um parceiro para fazer o exercício.
2. Sente-se tranquilamente enquanto seu parceiro vai para a sala ao lado, onde você deixou uma pilha de livros ou revistas ilustrados.
3. Peça a ele que abra um livro ou revista e olhe fixamente por um momento qualquer ilustração.

4. Enquanto ele olha para a ilustração, veja a imagem dela na sua mente.
5. Não se force a nada; permita que qualquer imagem surja na sua mente.
6. Seja a imagem perfeitamente clara ou não, descreva o que viu para o seu parceiro quando estiverem na mesma sala.

Aqui, o segredo é não interpretar. Imagens que nos chegam do domínio intuitivo costumam ser difusas no início, de modo que recebemos apenas indícios delas – uma montanha pode ser vista só como uma linha curva no céu ou com o formato da ponta de um chapéu de bruxa. Talvez a imagem que vemos apenas tenha a mesma cor que o objeto. Sua mente pode interpretar mal esses indicadores vagos e fazer surgir uma imagem errada. Mas tenha certeza de que há um sinal real sendo enviado e recebido.

Repita o exercício três ou quatro vezes. Troque de lugar com o seu parceiro e seja emissor da imagem em vez de receptor. Se você trabalhar com um estado mental relaxado e souber que a imagem pode ser vista, vai se surpreender com a sua crescente acurácia.

EXERCÍCIO 3: "PEÇA E RECEBERÁ"

A intuição dá respostas que não costumam estar disponíveis para nós. Quando fazemos todo o possível para resolver um problema e não encontramos a solução, isso não quer dizer que fomos derrotados, mas que podemos descobrir algo novo. A descoberta é um salto da razão para a intuição, seja através de sonhos, *flashes* ou *insights*, ou pelo conhecimento súbito da verdade. Aqui uma lei da consciência entra em ação: "Peça e receberá".

Pense em um problema ou desafio que você esteja enfrentando atualmente. Pode ser qualquer coisa, na sua vida particular ou no trabalho. Antes de se deitar para dormir, faça o seguinte:

1. Escolha um momento em que estiver alerta e descansado. Sente-se com os olhos fechados e procure silenciar os diálogos da mente.
2. Defina o problema para si mesmo, o mais claramente que puder.
3. Diga para si mesmo o que espera que aconteça. Então entregue conscientemente essas suas expectativas para o universo. Abra-se para o que tiver que acontecer, e não para o que você espera.
4. Pergunte a si mesmo se as informações que você tem são suficientes para resolver o problema. Se outra pessoa estiver envolvida, você ouviu a opinião dela? Se a situação depender de vários fatores externos, você sabe quais são? Se não souber, procure se informar antes de prosseguir.
5. Enquanto pede uma solução para o problema, devolva-o para o universo – e se desvincule do eventual resultado.
6. Disponha-se a receber a resposta, venha ela de onde vier. Não se apegue a nenhum resultado específico.

7. Quando se deitar para dormir, espere que a resposta venha enquanto estiver dormindo.
8. Ao acordar pela manhã, não saia logo da cama. Fique de olhos fechados e procure a resposta dentro de si. Ouça tranquilamente o que for. Afaste imagens confusas e parciais. Aguarde uma resposta que seja clara, simples, bem definida e satisfatória. Quando tiver a resposta, comece a agir.
9. Se a solução não chegar, seja paciente. Ocupe-se das suas atividades diárias. A intuição nem sempre vem no mesmo dia. Esteja preparado para um *insight* no momento mais inesperado.

Esse exercício pode parecer estranho a princípio, mas é incrivelmente poderoso quando praticado o suficiente. O princípio "Peça e receberá" vem da consciência em seu nível mais profundo e mais claro. Ele nos proporciona descobertas e *insights*, todos eles baseados na confiança na intuição e em nutri-la. Ao confiar em uma inteligência superior (que não precisa ser um conceito religioso; podemos confiar igualmente em um Eu superior ou uma mente cósmica), abrimos caminho para estar em contato com ela. No fim das contas, o mistério da intuição não é nenhum mistério. É o processo normal de comunicação com a inteligência superior presente em todas as situações.

O QUINTO CHACRA
PALAVRAS MÁGICAS

O QUINTO CHACRA

Localização: *Garganta*
Tema: *Fala, autoexpressão*
Qualidades desejáveis: Coragem de falar a verdade
　　　　　　　　　　　　Autenticidade
　　　　　　　　　　　　Eloquência

A linguagem é um componente da abundância que costuma ser negligenciado. O sucesso durante toda a vida escolar está relacionado à habilidade verbal. Os relacionamentos dão certo ou não dependendo de como as duas pessoas envolvidas se comunicam. Conquistamos ou perdemos o respeito dos outros conforme a confiança que eles têm no que dizemos. Resumindo, as palavras que usamos têm um poder imenso.

O que perdemos foi a magia que existe por trás da linguagem. As palavras são mágicas, e o modo como usamos as suas propriedades mágicas determina como se desenrolará a nossa vida. Cada palavra que pronunciamos apresenta um mistério. Como as reações químicas e as cargas elétricas nas células cerebrais se transformam nas palavras que ouvimos dentro da cabeça? O cérebro está usando os mesmos elementos, básicos como a pele e as células do fígado, mesmo que esses componentes das células não pensem nem falem. No dia a dia, esses mistérios seguem sem ser desvendados; ninguém sequer os traz à baila.

O quinto chacra, localizado na garganta, nos dá a chave para o segredo da magia da linguagem porque vê as palavras como expressão não das células cerebrais, mas de inteligência criativa. É aqui que a consciência-alegria se transforma em todas as formas de expressão, mas especialmente na fala. (Os seres humanos nem precisam usar palavras. Temos uma linguagem corporal e expressões faciais. Segundo especialistas, usamos as mãos em mais de duzentos gestos, cada um com seu significado. Obtemos um sorriso quando erguemos o polegar, mas não quando mostramos o dedo médio.)

As nossas palavras nos ajudam a obter a vida que queremos ou nos afastam dela. Isso pode soar um pouco drástico, mas é inevitável. Uma atitude de abundância, embora importante, não é suficiente. Pensamentos, palavras e ações precisam se desenvolver ao longo de uma senda para a satisfação. No caminho do meio do budismo, essa senda é marcada pelo pensamento correto, pela fala correta e pela ação correta.

O quinto chacra diz respeito à fala correta. Mas o que exatamente significa *correto*? Essa palavra envolve várias coisas:

- Falar a verdade.
- Não resistir nem se opor.
- Respeitar a própria vida e a do outro.
- Contribuir para a paz; evitar a violência.
- Estar alinhado com o próprio darma.

Se tivéssemos que pensar nessa lista cada vez que abrimos a boca para falar, não diríamos uma só palavra. Mas o sistema do quinto chacra simplifica o assunto quando diz que as palavras são corretas quando mantêm a qualidade de consciência-alegria. "Siga a sua alegria" é uma verdade em todos os chacras, mas especialmente aqui. Com esse guia interior, podemos promover a boa magia nas palavras e evitar a magia ruim.

BOA MAGIA OU MAGIA RUIM?

Ao pronunciar uma palavra, sustentamos ou bloqueamos o fluxo da inteligência criativa. As palavras têm magia para mudar qualquer situação, na direção certa ou errada. "Eu amo você" tem transformado incontáveis vidas na direção certa. "Não" tem empurrado incontáveis situações na direção errada.

Mas não existem regras prontas. Dizer sempre "sim" pode ser tão ruim quanto sempre dizer "não". Temos que estar atentos a como a situação em questão se desenrola e o que se deve fazer. Felizmente, não há mistério nenhum nisso. O fluxo da inteligência criativa favorece a boa magia. As palavras estarão alinhadas com o melhor resultado em qualquer situação. A magia ruim é o oposto disso. Ela não é ruim no sentido de ser maligna ou moralmente errada. *Ruim*, aqui, significa que nos desviamos do caminho que a inteligência criativa quer tomar.

Os sinais que nos indicam como uma situação está se desdobrando são simples e facilmente reconhecíveis.

A BOA MAGIA ACONTECE QUANDO...

- a atmosfera do ambiente é descontraída;
- o interlocutor tem uma linguagem corporal positiva;
- as suas palavras são recebidas com sorrisos, assentimentos com a cabeça e outros sinais de concordância;
- você está tendo prazer no que diz;
- pontos vão sendo esclarecidos;
- você sente que está expressando a sua verdade;
- há um clima de paz no ambiente;
- surgem respostas criativas;
- todos demonstram cooperação;
- você se sente ouvido e compreendido.

Esses sinais não são difíceis de reconhecer, mas em geral não estamos acostumados a dar muita importância a eles. Em vez disso, seguimos em frente, mesmo na ausência de uma boa magia. Pense em quantas vezes você já se viu em conversas ou em reuniões em que percebeu, talvez tarde demais, que as coisas tinham saído dos trilhos. Os sinais disso também são muito fáceis de ser detectados.

A MAGIA RUIM ACONTECE QUANDO...

- o clima do ambiente está pesado;
- o interlocutor tem uma linguagem corporal que revela tensão;
- as suas palavras provocam olhares de espanto ou tédio;
- você não está gostando do que diz;
- as questões estão ficando confusas e mais complicadas;
- você percebe que as suas palavras caem no vazio;
- há um clima de conflito ou de oposição no ambiente;
- nenhum consenso parece possível e não se sai do lugar;
- você sente que não é ouvido nem compreendido.

Ter consciência de como a boa magia difere da magia ruim é um passo importante. Você está percebendo claramente como a fala correta tem que ser. O próximo passo é buscar ajuda na inteligência criativa. Não é preciso manipular uma situação ruim a fim de colocá-la na direção certa. Estar alinhado com a inteligência criativa impede que aconteçam situações ruins. Como vemos, é a maneira mais natural de suas palavras promoverem bons resultados e satisfação.

DE ONDE VEM A MAGIA

Se as palavras significassem apenas o que consta na definição delas no dicionário, a magia não aconteceria. Há outros significados ocultos. Considere o exemplo a seguir em que duas pessoas têm uma rápida troca verbal.

A: Você viu onde deixei as chaves do carro?
B: Não.

Aqui no papel (ou na tela), essa é uma troca de informação básica sem nenhum subtom especial. Na vida real, porém, a mensagem é muito diferente, repleta de implicações ocultas por trás de cada palavra. Digamos que A seja uma esposa que está saindo atrasada para o trabalho e B, o seu marido, que está desempregado. A pergunta que ela faz não tem outras implicações além do chaveiro desaparecido.

E quanto ao "Não" que ele responde? Um marido desempregado pode estar ressentido, deprimido, se sentindo vitimizado, com pena de si mesmo e com inveja da mulher, que sai para trabalhar e ele não. Dependendo de quais sejam seus sentimentos, "Não" pode ser uma resposta emocional. Como leitores fora da situação, esse breve diálogo no papel (ou na tela) não nos permite saber como é o relacionamento deles. Talvez o marido aprecie ser dono de casa e o seu "Não" seja simplesmente "Não".

O que isso demonstra? Que em todas as palavras que dizemos existem camadas de comunicação. É aqui que entra a magia, porque de alguma maneira misteriosa os seres humanos são capazes de enviar e receber sinais invisíveis de todo tipo que não constam em nenhum dicionário. Não costumamos pensar que as palavras têm tanto poder, mas a próxima frase que você disser expressará muita coisa sobre:

- o seu humor;
- o seu relacionamento com o outro;
- o papel que você representa na situação;
- o seu estado de dominância ou submissão;
- o que você entende;
- o que você tem que expressar;
- quanto você está disposto a cooperar;
- quanta emoção você está investindo ou reprimindo.

O quinto chacra: Palavras mágicas

Cada palavra é como a ponta de um *iceberg*, com a maior parte submersa e invisível. E mesmo nesse nível a comunicação acontece. Transmitimos tanta coisa sob a superfície que o nosso interlocutor sabe – *ou pensa que sabe* – quem somos.

O chacra da garganta é o lugar de onde você diz o que quer dizer, sem medo. Lembro-me de que, décadas atrás, eu me preparava, muito nervoso, para proferir uma palestra pela primeira vez. Estava ansioso, apesar de na escola de medicina e durante o período de residência eu ter me sentido seguro ao discorrer sobre as coisas que se espera de um médico, ou seja, dava o diagnóstico do paciente, explicava o tratamento necessário e fazia o prognóstico da sua recuperação.

Mesmo que muitos fiquem ansiosos quando têm que falar em público, eu não estava exatamente com medo; só não via a hora de subir naquele palco. Mas não tinha certeza de como a plateia reagiria. Era o início dos anos 1980. Eu dava os meus primeiros passos na meditação e na conexão mente-corpo, dois temas sobre os quais médicos e grande parte do público são céticos ou claramente hostis.

A essa altura, um amigo, que por acaso era professor de meditação, me deu um conselho precioso: "As pessoas não vão reagir ao que você disser; vão reagir ao que você é". Ou seja, se me expresso com as palavras mais belas e afetivas, mas estou fechado, medroso e inseguro, minha mensagem não atinge o resultado desejado.

Essa é a magia suprema das palavras: podem ser animadas por nós. São energizadas pelo que temos interiormente. As palavras são meras letras e sons, mas temos o poder de dar vida a elas. Porém, com muita frequência tiramos a magia das nossas palavras quando nos manifestamos com medo, dúvida e necessidade de camuflar as nossas verdades, não só para os outros, mas para nós mesmos. Quando isso acontece, a fala correta é derrubada pela fala errada.

MENTIRAS MÁGICAS

Uma parte das prioridades do ego é apresentar uma autoimagem forte ao mundo. Mas esse esforço mantém a pessoa desconectada do seu eu verdadeiro. Se vivermos no nível do eu verdadeiro, não precisaremos de imagem nenhuma. Essa qualidade é conhecida como autenticidade. Crianças são autênticas de uma maneira inocente, aberta, mas rapidamente aprendem que o julgamento dos pais está em atividade. Ouvir que somos "bons" ou "maus" causa mudanças na vida se ouvirmos essas palavras dos nossos pais e se elas forem repetidas com frequência.

Ser um bom menino ou menina se torna a motivação de toda criança. As chances de fracasso são inúmeras. Crianças "más" ficam marcadas psicologicamente pelo resto da vida, mas o destino delas não está determinado. Um dia a criança má pode concluir que seus pais estavam errados – ou provar que estavam errados – e tomar uma direção positiva. Mas o contrário é mais comum. Crianças más são desencorajadas, e as chances de acreditarem em "Eu me basto" são muito menores.

Existe uma imensa área cinzenta entre esses rótulos fixos de *bom* e *mau*. A nossa autoimagem é criada dentro dessa área, acionada pela insegurança do ego. As pessoas, na sua maioria, mantêm em segredo uma grande quantidade de ficções que são projetadas pela sua autoimagem. Chamo essas ficções de "mentiras mágicas". Elas refletem a habilidade do ego de nos enganar, enganar as pessoas das nossas relações e o mundo em geral. Em consequência disso, somos guiados por crenças ocultas que não têm base nenhuma no fluxo contínuo do eu verdadeiro.

Considere as mentiras do ego que estariam influenciando você neste exato momento.

A TEIA DE MENTIRAS MÁGICAS

- Estou só e isolado.
- Um dia eu nasci.
- Um dia vou morrer.
- Forças externas jogam-me de um lado para o outro, além do meu controle.
- Minha vida é um grão de areia na vastidão do cosmo.
- Estou envolvido em uma batalha pessoal.
- Procuro maximizar o prazer e minimizar o sofrimento.
- Sofro a influência de lembranças, traumas e reveses do passado.
- Tenho medo de fracassar.
- Estou preso neste corpo desgastado.
- Tenho conflitos internos.
- Não tenho certeza se sou digno de amor.
- Tendo a me sentir ansioso e deprimido.
- Vivo em um mundo perigoso.
- Preciso ser cauteloso com muitas coisas.
- Cuido de mim mesmo, porque sei que ninguém mais o fará.
- Eu não me basto.

Nada disso precisa ser dito em voz alta. A fala humana é repleta de insinuações e implicações. Estamos constantemente provocando inferências do que queremos esconder, mas que, lendo nas entrelinhas, refletem o fato surpreendente de que as palavras revelam camadas de significados. A última frase da lista das mentiras mágicas do ego, "Eu não me basto", é a maior delas e, também, a mais poderosa. Seria preciso um livro inteiro para desfazê-la.

Por mais diferentes que as pessoas sejam, todas estão engajadas no mesmo projeto: criar uma história sobre si mesmas. O resultado, na vida de quase todos, é uma miscelânea de experiências passadas e esperanças futuras que se misturam com o que está acontecendo hoje. Nessa confusão, muita gente não consegue o que quer a partir das suas histórias.

Por exemplo, suponhamos que hoje é sábado e você acaba de se sentar à mesa para o café da manhã. Como muita gente, você ainda está sonado antes de beber a primeira xícara. Alguém lhe pergunta: "Dormiu bem?" Ao pronunciar a primeira palavra da sua resposta você atravessa o limiar: a sua história nesse dia está prestes a se tornar pública. Você vai compartilhar seus pensamentos com outra pessoa, e ao longo do dia as suas palavras passarão a pertencer a todos com quem você interage.

Suponhamos agora que você não está com vontade de conversar, e que quando a pessoa lhe pergunta se dormiu bem você murmura "Bem" em voz baixa e se vira para o lado. Congele a cena. Em um único gesto, que não durou mais do que alguns segundos, você fez algo mágico, e é bem provável que isso tenha sido totalmente inconsciente. Você canalizou infinitas possibilidades para o mundo real. Usando o que o escritor inglês Aldous Huxley chamou de "válvula redutora", você transformou milhares de respostas possíveis em apenas uma palavra.

Não descongele a cena rápido demais, porque, se você desprezar esse exemplo como banal e insignificante, o aspecto mágico será descartado. No momento em que reduzimos milhares de palavras possíveis a apenas uma – "Bem" –, estamos usando uma partícula de inteligência criativa. Mas não é realmente uma partícula. A sua história é como um holograma mental, em que a imagem toda é revelada em um único detalhe.

A habilidade de criar hologramas mentais é inata e universal. Nós a utilizamos diariamente: tomamos um único fragmento da experiência e o sopramos dentro de uma imagem ou de um filme. O rosto da pessoa amada deixa de ser apenas um conjunto de traços – o relacionamento como um todo é comprimido inteiro dentro de uma imagem visual. Se você toca piano, as teclas evocam toda a sua habilidade, o seu treino e o seu gosto musical. Para um físico, um conjunto de símbolos como $E = mc^2$ revela a revolução causada pela teoria geral da relatividade de Einstein.

O resultado disso é que a sua história é longa demais para ser controlada pela mente ou pelo ego. Somente a inteligência criativa prevê para onde vai a história, o que ela realmente significa e qual é a direção mais correta a tomar nessa trama. A fala correta não diz respeito às palavras que você escolhe para dizer, mas de onde as palavras vêm.

ENRIQUEÇA A SUA HISTÓRIA

Há um sem-número de palavras na sua história – presente, passada e futura – para acessar mentalmente, mas o tempo todo ela está projetando o holograma de você. Para ser mais preciso, está projetando esse "você" que afirma "Eu me basto" ou "Eu não me basto". Ou um ou outro permeia a sua história. "Eu não me basto" é projetado pelo que se segue:

- Reclamar.
- Culpar os outros.
- Fugir das responsabilidades.
- Ser não comunicativo.
- Agir como um tirano mimado ou perfeccionista.
- Diminuir o outro para se engrandecer.
- Ser defensivo.
- Jamais demonstrar fraqueza ou vulnerabilidade.
- Ser emocionalmente implacável.
- Não elogiar ou elogiar pouco os outros.
- Ser pessimista.
- Ter medo da intimidade.
- Aderir a regras cegamente.

Cada um desses comportamentos é, à sua maneira, um autojulgamento disfarçado. O primeiro passo para melhorar a sua história é notar quando você tem esses comportamentos. Como a lista é longa, anote em um caderno apenas um deles que se aplique a você. Fique atento para perceber quando ele aparece – talvez seja "reclamar" ou "culpar os outros" – e registre na página.

Faça isso durante uma semana e então faça um balanço da sua tendência de reclamar ou atribuir culpas aos outros. O próximo passo é parar sempre que perceber que está se comportando dessa maneira. Simplesmente parar, embora seja difícil no começo, é muito proveitoso. Se tiver tempo, encontre um lugar tranquilo para se centrar e ficar na consciência simples. Um pai ou mãe muito ocupado pode, por exemplo, passar alguns momentos sozinho no banheiro.

Por ser o carma formado por padrões repetitivos, você verá que, no seu caso, o pensamento que reflete "Eu não me basto" já é bem conhecido das pessoas que o cercam. O objetivo aqui será diminuir e então eliminar os reflexos mais evidentes. Quando estiver mais seguro, sente-se com um amigo ou um confidente (não com o seu parceiro, porque esse é um relacionamento muito carregado emocionalmente) e pergunte a ele quais são os seus comportamentos mais evidentes. Espere uma resposta solidária e útil, e não uma crítica. Você ficará surpreso com o que as pessoas veem facilmente e você nunca notou. Seja receptivo à contribuição que lhe derem porque, estando mais consciente, você pode começar a mudar.

O outro lado da moeda também merece atenção. Quando há pouco ou nenhum autojulgamento, "Eu me basto" é projetado pelo que se segue:

- Ter abertura emocional e honestidade.
- Ser solidário.
- Ser prestativo.
- Ser tolerante com os próprios erros e os dos outros.
- Aceitar o outro com facilidade.
- Tolerar atitudes e crenças diferentes das suas.
- Ser otimista.
- Estar disposto a compartilhar o crédito por algo.
- Não criticar ninguém em público.
- Ser generoso ao avaliar os outros.
- Ser receptivo à intimidade nos relacionamentos.
- Ser capaz de amar e ser amado.

É um prazer fortalecer essas qualidades e enriquecer a nossa história. Sinta quais são as que você mais valoriza e comece a notar as situações em que você pode manifestá-las. Esse lado nosso também é cármico, porque se encaixa em padrões repetitivos. Tais padrões se tornam inconscientes e automáticos. Com isso em mente, encontre um confidente e pergunte qual desses comportamentos você não deveria repetir. Talvez você tenha facilidade em compartilhar o crédito pelas coisas, de modo que essa não é uma área que deva ser focada. Mas talvez tenha dificuldade de aceitar pessoas muito diferentes de você. Então essa é a área a ser focada. Não se sinta obrigado a mudar. Basta ter a

> intenção e buscar situações em que você consiga demonstrar aceitação e apreço sem grande esforço.
>
> Usando as duas estratégias – desfazer o lado negativo e repetir mais vezes o positivo –, uma linha de comunicação com o seu eu verdadeiro se abrirá. Ele sabe qual é a sua intenção, e você será testemunha de que enriquecer a sua história se torna mais fácil e mais prazeroso à medida que seguir em frente.

FALANDO EM RELACIONAMENTOS...

É um clichê dizer que os relacionamentos saudáveis dependem da boa comunicação, mas, pensando melhor, as palavras são os ingredientes mais presentes nos nossos relacionamentos. "Eu amo você" é o que mais queremos ouvir, mas uma parte muito pequena das palavras que você e seu parceiro costumam trocar. Nas terapias de casais, as queixas mais comuns são "Ele (ou ela) não me ouve". É claro que isso não é verdade no sentido literal. A menos que fôssemos especialistas em afastar o outro – habilidade que, infelizmente, se desenvolve com facilidade em relacionamentos muito longos –, ouvimos o tempo todo.

O importante é ser ouvido. Quando somos ouvidos, somos valorizados. As palavras são secundárias e quase sempre irrelevantes. As pessoas só querem saber se ainda fazem a diferença, se certificar de que o vínculo com o parceiro ainda é forte; buscam validação no olhar do outro. Quando nos certificamos de que somos ouvidos, o caminho está aberto para nos revelarmos cada vez mais.

O quinto chacra: Palavras mágicas

Então o relacionamento começa a ser trabalhado no nível do eu verdadeiro. Para quem deseja um relacionamento espiritual, esse vínculo no nível do eu verdadeiro é a chave.

Quando um relacionamento começa a balançar, ouve-se um ou ambos os parceiros dizer: "A cada dia estamos mais distantes". Às vezes essa frase é dita com amargura, às vezes não. Mas, em ambos os casos, distanciar-se significa que o vínculo entre ambos os indivíduos se esgarçou ou se rompeu. No nível do ego, o problema é que o "eu" – aí incluídos o meu jeito de fazer as coisas, as minhas atitudes, os meus objetivos na vida – está sendo ignorado. Uma prioridade do ego saiu dos trilhos, e o parceiro insatisfeito precisa de um novo aliado para realizar o que o seu "eu" quer.

Quero me referir aqui aos relacionamentos em que as duas pessoas desejam que as coisas corram bem e querem um vínculo de amor duradouro. A maneira ideal de conseguir isso é compreender o papel desempenhado pela consciência. A inteligência criativa não flui apenas através de indivíduos. Ela flui igualmente através de relacionamentos.

Aqui as palavras têm um papel fundamental. A qualquer momento o fio da inteligência criativa pode ser retomado. Em primeiro lugar, temos que saber quando o fio foi perdido ou se rompeu. Você perde o fio sempre que as suas palavras:

- incitam divisão ou oposição;
- expressam hostilidade;
- aumentam a ansiedade em você e no seu parceiro;
- alimentam o drama em curso;
- se queixam do comportamento do seu parceiro;
- transferem responsabilidades e culpam o outro;
- humilham o outro;
- excluem o outro;
- tentam dominar e controlar;
- inflam a sua vaidade.

Tudo isso é o resultado óbvio das palavras que são ditas, e elas não podem ser entendidas como positivas e favoráveis à vida. Estou usando nesta seção a palavra "parceiro", que também se aplica perfeitamente a pai, mãe ou amigo. Temos que estar alertas o suficiente para saber que estamos rompendo o fio. Somos bastante rápidos em apontar as falhas dos outros, mas muito lentos em reconhecer que o que não gostamos no outro é exatamente o que negamos em nós mesmos. Se negamos que estamos fazendo o que condenamos na outra pessoa, essa autonegação cai na categoria de mentira mágica. A negação e o egoísmo mantêm a mentira viva.

Ninguém está totalmente imerso em crenças falsas, na negação ou nas falas autocentradas que listamos acima. A inteligência criativa às vezes vem à tona, e então as nossas palavras passam a alimentar os nossos relacionamentos. Você está alinhado com a inteligência criativa sempre que as suas palavras:

- expressam amor, gratidão e reconhecimento;
- conectam você com o seu parceiro;
- falam a verdade sem ferir;
- demonstram empatia;
- ajudam a resolver um problema;
- criam um ambiente positivo;
- oferecem esperança e ajuda;
- celebram os dons que você recebeu.

Nenhuma dessas coisas exige que você seja super-humano ou santo. Pais amorosos naturalmente usam palavras como essas para educar os filhos. Em algum momento da vida, muitas pessoas aprenderam a bloquear o fluxo da inteligência criativa. Infelizmente, isso tem prejudicado todo tipo de relacionamento. Mas a Ioga ensina que a consciência-alegria continua firme, não importa quantas vezes nos desviemos para comportamentos derrotistas ou autodestrutivos. A generosidade do espírito não pode ser bloqueada.

As nossas palavras revelam que estamos em um nível de consciência ajustado às prioridades do ego. O mesmo se dá com o nosso parceiro. Mas não é essa a base do vínculo nos relacionamentos amorosos. Pelo contrário, apenas cedemos à atração magnética que um eu verdadeiro exerce sobre outro eu verdadeiro. Quando compreendemos essa verdade, sabemos por que a nossa relação existe, não pelas razões do ego, mas como expressão da consciência-alegria. Não é preciso convencer o parceiro disso. O nosso próprio conhecimento basta. Ele nos conecta com a generosidade do espírito, e isso será suficiente. Se ambos os parceiros estão na mesma sintonia, não há nada mais belo do que duas pessoas evoluindo juntas. A melhor maneira de alcançar esse estado é cada um evoluir por si mesmo. Então teremos incorporado a generosidade do espírito.

É perturbador, especialmente para quem valoriza o crescimento espiritual, sentir que a outra pessoa está se afastando. Um abismo se abre e a relação começa a ficar cada vez mais desequilibrada. Você tenta seguir a sua orientação superior, mas o seu parceiro tem outras coisas em mente, outras buscas, outros valores. Com o tempo, quando o abismo se aprofunda demais, o relacionamento desmorona. O que começou como esperança de uma conexão espiritual entre duas pessoas que se amam pode terminar em recriminações e decepções comuns a qualquer rompimento.

A mensagem da Ioga não é fácil de ouvir: o comportamento do parceiro reflete exatamente onde estamos. No estado de desapego, esse conhecimento nos permite parar de atribuir culpas e focar no nosso próprio estado de consciência. O desapego é um estado de cura, e não um estado solitário, isolado, que precisa de outra pessoa para ser como gostaríamos que fosse. De maneiras sutis, as prioridades do ego subvertem o desapego, para que os "meus" ideais espirituais se contraponham às "suas" falhas. O trabalho interior é sempre pessoal, íntimo e invisível. Mas é também o maior trabalho a ser feito num relacionamento.

A vida é infinitamente capaz de se autocomplementar. Quando nos desapegamos do ego, ficamos com o lado da vida na sua totalidade. Aos poucos a confiança cresce e o supremo mistério se revela: vida e alegria são uma coisa só. A falta e o desejo jamais são donos da verdade.

ATIVE O CHACRA DA GARGANTA

Esse chacra fortalece todos os aspectos da fala e da autoexpressão. Algumas coisas que podem ser feitas se aplicam a todos os chacras:

- Fique na consciência simples. Quando perceber que não está nela, volte a se centrar.
- Medite com o mantra Ham (p. 108).
- Medite com o pensamento centrado "Sou livre expressão" ou "Verbalizo a minha verdade" (p. 111).

Outros passos servem especificamente para ativar o chacra da garganta. Constantemente projetamos a nossa história, e a ioga nos ensina que enriquecê-la acontece na consciência. Muita coisa depende da ativação do quinto chacra para dizer um "Eu me basto" que seja verdadeiro. Fazemos isso ao mudar conscientemente a história que estamos contando, não para os outros, mas para nós mesmos.

Exercício: De manhã, reserve cinco ou dez minutos para estar só. Sente-se com os olhos fechados e veja a si

O quinto chacra: Palavras mágicas

mesmo enfrentando o desafio do dia que mal começou. Escolha algo em curso, uma situação que parece emperrada ou que não esteja acontecendo como você gostaria.

Visualize mentalmente alguma coisa bloqueando o caminho – pode ser uma pessoa, uma reunião próxima, algo resistente, uma falta de comunicação. Em geral não é difícil visualizar cenários ruins e antecipar perigos. Esse é o ponto de vista do "Eu não me basto".

Observe a situação como se assistisse a um filme que você tivesse permissão para dirigir. Deixe o filme rodar e, quando chegar a uma parte ruim, rebobine-o. Se nessa parte alguém entra na sala para criar problemas ou reclamar, veja a pessoa recuar e entrar novamente. Você está se livrando da expectativa tensa e ganhando controle sobre ela.

Repita o exercício até não se sentir mais tenso e frustrado. Ter o controle de uma visualização é uma maneira poderosa de permitir que a inteligência criativa flua, e nada é mais importante que isso. Somos cocriadores em todas as situações em que nos encontramos. E vamos recuperar o nosso papel criativo. Caso contrário, a situação passa a nos controlar.

Esse mesmo exercício ajuda a melhorar um relacionamento ou uma situação que não esteja funcionando bem. Pense em algum momento próximo do dia e o veja como se fosse um filme. Nesse filme, seu parceiro está atuando perfeitamente, a situação está se resolvendo em total harmonia. Volte a cena e assista outra vez. Repita algumas vezes até ficar satisfeito e confiar na sua nova visão.

> Não espere resultados imediatos nem a melhor solução todas as vezes. O processo evoluirá se você se afastar e permitir que a inteligência criativa assuma o comando. Ela segue a sugestão da sua visão interior do melhor resultado. Isso basta para que a sua história melhore no nível da consciência, que é o que mais tem poder para mudarmos para uma direção evolutiva.

O QUARTO CHACRA
EMOÇÕES PROFUNDAS

O QUARTO CHACRA

Localização: Coração
Tema: Emoções
Qualidades desejáveis: Felicidade
Amor
Inteligência emocional
Empatia, vínculo

Os humanos são os únicos seres vivos que têm problemas para serem felizes. Se o sistema de chacras puder resolver esse problema, será uma imensa contribuição na vida das pessoas. A felicidade é um estado emocional, e as emoções estão simbolicamente centradas no quarto chacra, localizado no coração. Em seu estado natural de equilíbrio abundante, o chacra do coração é a fonte de felicidade e de toda expressão emocional. É o que entendemos quando nos dizem que o coração está feliz ou está triste, que o coração está cheio ou vazio. Os antigos iogues indianos concordam. Eles vão mais longe e falam em sabedoria do coração, porque de cada um dos chacras emerge um novo tipo de conhecimento. É tão sábio, e talvez até mais, *sentir* como vivemos quanto *pensar* em como vivemos.

No quarto chacra a inteligência criativa é transformada em emoções. Porque ainda estamos falando em consciência-alegria, que é a fonte de todas as transformações, as emoções se destinam a melhorar a vida com amor e alegria, e também com compaixão, empatia, intimidade, perdão, esperança e otimismo. As emoções negativas estão desalinhadas. São guias não confiáveis, embora impulsos de raiva, medo, depressão e ciúme possam ser poderosos. Quando emoções negativas surgem, é sinal de que alguma coisa errada aconteceu no fluxo da inteligência criativa. É comum as pessoas não saberem o que fazer para mudar as suas emoções. Mas as emoções refletem um estado da consciência, e, para a Ioga, quando estamos na consciência simples, os nós emocionais ocultos se desembaraçam, o velho carma se dilui, e às vezes desaparece completamente. Veja o papel importante que o passado desempenha em uma história.

Parte da abundância interior é uma vida emocional rica, a começar pelo direito de ser feliz. Mas a psicologia moderna descobriu que é quase impossível saber com certeza se os seres humanos estão destinados à felicidade. A psicoterapia não é muito bem-sucedida na cura da depressão e da ansiedade, que são os principais obstáculos para a felicidade, e é por isso que grande parte dos pacientes é mandada para casa com receitas médicas de antidepressivos e tranquilizantes. Esses remédios diminuem os sintomas da ansiedade e da depressão sem promover a cura, e com frequência nem sequer aliviam os sintomas.

A Ioga não é um ramo da medicina nem da psicoterapia, mas tem um conhecimento mais profundo de como funciona a consciência, que está no centro das emoções, uma vez que estas são transformações da consciência. Se a sua vida emocional é problemática, cheia de conflitos ou insatisfatória, é inevitável que você se torne enfraquecido emocionalmente. Levando isso ao extremo, a pessoa pode viver em um estado de pobreza emocional. A responsabilidade por isso é de cada um de nós, porque as escolhas emocionais que fazemos não são predestinadas.

Não estou ignorando a educação familiar. A criança é profundamente influenciada pelo amor e pela falta dele, e há casos – muitos, infelizmente – de maus-tratos que criam sofrimento e estresse duradouros. Mas o processo de cura não acontece se tentamos apagar o passado, culpamos a família ou dependemos de alguém para mudar. O processo de cura acontece dentro de nós; somos os que curam e os que são curados.

A consciência de si é o ponto de partida, então pare e avalie quanto você é afetado pela pobreza emocional.

SINTOMAS DE POBREZA EMOCIONAL

- Sinto-me preocupado e ansioso.
- Tenho "pavio curto".
- Tenho dificuldade para expressar amor e afeto.
- Tenho medo da intimidade.
- Tenho vergonha de demonstrar emoções.
- Fico constrangido quando alguém demonstra suas emoções.
- Acredito que demonstrar emoções é sinal de fraqueza.
- Acredito que "homem que é homem não chora".
- Julgo as mulheres por serem "muito emotivas".

- Tenho dificuldade de expressar como realmente me sinto.
- Fujo dos meus verdadeiros sentimentos.
- Tenho um segredo de trauma emocional ou abuso no meu passado.
- Guardo rancor.
- Tenho dificuldade de perdoar.
- Sou atormentado por humilhações e fracassos passados.
- Sou um perdedor.
- Apego-me teimosamente a sentimentos de raiva, ciúme, ressentimento e vingança.
- Fico triste sem motivo.
- Sinto-me desamparado e desesperançado.

Penso que a maioria das pessoas se choca com o número de itens dessa lista. É chocante nos darmos conta da quantidade de sintomas de pobreza emocional que estão à nossa volta – e dentro de nós. Freud criou o termo "psicopatologia da vida cotidiana" para indicar como é comum o sofrimento psicológico. Nós nos enganamos ao classificar as pessoas que consideramos loucas, desajustadas, esquisitas, neuróticas e problemáticas como psicologicamente anormais. A vida cotidiana de todos nós tem uma corrente psicológica subjacente. Ninguém está livre de ter ao menos alguns sintomas de pobreza emocional, que aparecem muito antes de a pessoa buscar a ajuda de um terapeuta.

Não é difícil entender por que relutamos tanto para explorar as nossas emoções em profundidade. Quando temos um sofrimento psicológico, a maioria de nós começa a praticar alguma forma de evitação. Calamos e escondemos dos outros o nosso sofrimento porque sentimos vergonha. Preferimos entrar em negação e nos distrair assistindo à tevê, jogando videogame, bebendo álcool... – qualquer alívio temporário é sentido como menos ameaçador do que enfrentar o problema.

A cura começa – sem vergonha, pânico, medo ou nervosismo – quando aceitamos que um estado de satisfação interior está disponível para nós. Nesse estado de equilíbrio, o chacra do coração transborda de felicidade; é preciso tempo e esforço para danificar esse estado. A nossa tarefa é recuperar todo esse esforço e tempo perdidos. Ninguém deveria experimentar a pobreza emocional. Uma vida emocionalmente rica, a que todos têm direito, tem as qualidades enumeradas a seguir.

SINTOMAS DE RIQUEZA EMOCIONAL

- Estou em contato com as minhas emoções.
- Presto atenção em como estou me sentindo.
- Confio nas minhas reações emocionais e me guio por elas.
- Minha vida não é controlada por medos e preocupações.
- Recupero-me logo das emoções negativas.
- Não fico preso a raiva, ciúme e ressentimentos.
- Desfruto da intimidade com quem amo.
- Demonstro amor e afeição livremente.
- Não me envergonho de mostrar o que sinto.
- Não sou oprimido por humilhações e fracassos do passado.
- Expresso generosamente os meus sentimentos.

A cura emocional é íntima e funciona melhor se estivermos nos sentindo bem. Em uma metáfora delicada, a tradição védica na Índia se refere ao processo de cura como "soprar a poeira de um espelho". A poeira é o acúmulo de lembranças e experiências antigas que deram origem ao sofrimento. O espelho é a consciência simples, refletindo apenas consciência-alegria em todas as suas formas.

COMO AS EMOÇÕES EVOLUEM

Muita gente desconfia das suas emoções e procura escondê-las; outros as ampliam e as usam para manipular situações e conseguir o que querem. Por isso relutamos tanto em entrar nessa floresta escura das emoções tóxicas e reprimidas. Duas garantias devem ser oferecidas. A primeira é que não é necessário explorar a floresta escura do inconsciente. A cura emocional ocorre quando permitimos que a consciência-alegria se recupere. Do ponto de vista da consciência simples, a mente inteira está consciente. É no nível do ego que nos escondemos das nossas emoções, e a inteligência criativa age em um nível mais profundo. Em segundo lugar, não é preciso temer ou evitar uma jornada emocional – estamos nessa jornada desde que nascemos. As nossas emoções são parte de tudo que falamos, pensamos e fazemos.

Seria ótimo se a única tarefa pela frente fosse recuperar a criança interior, que se tornou uma espécie de ideal emocional da inocência. Mas a vida emocional de uma criança é imatura e subdesenvolvida. Os fundamentos estão lá, esperando para serem moldados, desde a alegria mais pura até o medo e a raiva em toda a sua potência. Se não evoluirmos além desses fundamentos, levaremos para a nossa vida o lado destrutivo da criança interior. Ela não desaparece no adulto e muitas vezes ainda tem um grande poder. Tudo depende de o seu lado infantil contribuir ou não para o seu bem-estar emocional.

COMO É A SUA CRIANÇA INTERIOR?

Aprendemos lições de vida na infância, e isso também se aplica às nossas emoções. Para ter uma ideia de quão bem o seu passado está tratando você hoje, responda "Sim" ou "Não" às perguntas que se seguem. Seja o mais honesto possível, nem muito complacente nem muito crítico.

O quarto chacra: Emoções profundas

Em geral sou calmo.
Sim ☐ Não ☐

Não costumo ter explosões emocionais súbitas.
Sim ☐ Não ☐

Não reajo impulsivamente.
Sim ☐ Não ☐

Reajo bem a críticas.
Sim ☐ Não ☐

Para mim é fácil ficar contente pela sorte dos outros.
Sim ☐ Não ☐

Não guardo ressentimentos.
Sim ☐ Não ☐

Não cultivo fantasias de vingança.
Sim ☐ Não ☐

Consigo me lembrar de momentos de alegria recentes.
Sim ☐ Não ☐

A felicidade dos outros é importante para mim.
Sim ☐ Não ☐

Considero meus rivais como concorrentes, não como inimigos.
Sim ☐ Não ☐

Consigo ouvir pacientemente as queixas dos outros.
Sim ☐ Não ☐

Minhas emoções não me criam problemas,
como discussões acaloradas.
Sim ☐ Não ☐

Sou afetivo e carinhoso, e isso me faz bem.
Sim ☐ Não ☐

Valorizo ser amado e digno de amor.
Sim ☐ Não ☐

Meus pais foram bons exemplos de maturidade
emocional.
Sim ☐ Não ☐

Não revido imediatamente se alguém fica bravo
comigo.
Sim ☐ Não ☐

Não me importo muito se alguém gosta ou não
de mim.
Sim ☐ Não ☐

Acho a maioria das pessoas agradável.
Sim ☐ Não ☐

Tendo a ver o que os outros têm de melhor, e não de pior.
Sim ☐ Não ☐

O quarto chacra: Emoções profundas

Sou compreensivo. Não sou rápido em criticar os outros.
Sim ☐ Não ☐

Em geral consigo saber o que o outro está sentindo, mesmo que tente esconder.
Sim ☐ Não ☐

Sinto compaixão por aqueles que estão com problemas.
Sim ☐ Não ☐

Dou risada com facilidade.
Sim ☐ Não ☐

Gosto de estar na companhia de crianças.
Sim ☐ Não ☐

Sei o que é ser espiritualmente elevado.
Sim ☐ Não ☐

Total de "Sim" ___
Total de "Não" ___

AVALIE A SUA PONTUAÇÃO

Se você marcou "Sim" 25 vezes, a sua criança interior é feliz e equilibrada; se marcou "Não" 25 vezes, ela está sofrendo e é desequilibrada. Ninguém consegue alcançar tais pontuações, porque a vida interior de cada um de nós é misturada. Só precisamos observar a proporção de respostas "Sim" e "Não". Quanto mais respostas "Sim" houver, melhor.

18-24 "Sim": Você evoluiu bem emocionalmente e ajudou a sua criança interior a desenvolver a compreensão e a aceitação. Você se sente seguro na sua vida emocional e reage bem às emoções dos outros. Não anseia por aprovação nem se retrai diante de recriminações. Suas reações emocionais são ponderadas e estão bem equilibradas pela experiência, pela razão e pela maturidade.

13-17 "Sim": A sua vida emocional está mais ou menos no meio, aproximando-se da norma social. Sua criança interior às vezes se mostra insegura. Provavelmente você não valoriza as suas emoções ou não confia por completo nelas. Em vez disso, você se sente preso em emoções indesejáveis que procura evitar a qualquer custo. Se você é introvertido, costuma guardar para si os seus sentimentos. Se é extrovertido, manifesta as suas emoções para todo mundo ver. É provável que você goste de se refugiar em fantasias românticas, sejam elas criadas pela sua imaginação ou descritas em livros e filmes.

1-12 "Sim": A sua criança interior exerce uma influência negativa sobre você, e quanto mais baixa foi a sua pontuação, mais destrutiva é essa influência. Você tem dificuldade de se relacionar com adultos maduros, preferindo a companhia de pessoas imaturas,

O quarto chacra: Emoções profundas

pessimistas, inseguras e impulsivas como você. Se atingiu a pontuação máxima (10-12), é possível que você nem sequer perceba essas deficiências; você simplesmente dá as costas para as emoções e valoriza muito o fato de ser uma pessoa racional, por um lado, e disciplinada, por outro. Seja qual for o caso, você condena quem demonstra facilmente as próprias emoções. Envolvido em sua própria vida de altos e baixos, você é pouco compreensivo com quem não consegue resolver os seus próprios problemas e seguir em frente. Do seu ponto de vista, quanto mais emotivo você se mostra, mais fraco parece para os outros e para si mesmo.

Quero destacar que a maioria das pessoas tem dificuldade de ser absolutamente honesta em relação à sua vida emocional, e por isso este questionário é só um guia geral. Para alguns é fácil exagerar as próprias qualidades, assim como para outros é fácil exagerar os próprios defeitos. Use este questionário como um espelho que reflete como você usualmente se sente a respeito das suas emoções.

Quem tem uma vida emocionalmente rica é generoso com os próprios sentimentos, aberto e resiliente. Nenhuma criança já nasce assim, e por isso temos que evoluir para além do estado emocional da infância e da adolescência. Embora seja um tanto paradoxal, não sei por que nós, *Homo sapiens*, levamos milênios para ser tão emotivos.

A evolução não tornou a trajetória do ser humano um mar de rosas. As emoções podem nos proporcionar os melhores e os piores momentos da nossa vida. Seja como for, a mente humana quer experimentar a diversidade ao máximo. Assim como nunca nos faltam pensamentos e palavras, nunca nos faltam sentimentos. É o que *ao máximo* significa: vamos muito além de apenas desejar consistentemente sentimentos bons e agradáveis.

Todo sentimento positivo tem o seu oposto, um gêmeo sombrio, e não podemos ter um sem ter o outro. O emaranhado de emoções humanas é evidente em frases como "Fulano é uma pessoa que amamos odiar". A poesia romântica é repleta de dores de amor e também de suas delícias. O sexo era considerado o prazer primal para Freud, mas a luxúria é um pecado bíblico, e Shakespeare fala das emoções mais obscuras que envolvem o prazer sexual no "Soneto 129": "O desgaste do espírito quando se envergonha/ É obra da luxúria". No entanto, as questões do coração em geral são expostas abertamente nas sombras.

Surpreendentemente, é impossível explicar por que os seres humanos têm emoções. Outros animais têm impulsos que somos tentados a igualar aos nossos próprios sentimentos. Quando um elefante morre, o resto da manada permanece ao redor do cadáver sem fazer barulho durante vários dias. Os humanos diriam que eles estão de luto. Os golfinhos não só exibem um sorriso permanente como dão a impressão de estar felizes saltando nas ondas. Todos os filhotes de mamíferos parecem passar a maior parte do tempo brincando, e dizemos que eles se divertem. Mas é impossível para nós saber o que os animais sentem. Não podemos ver dentro de sua psique.

Pode-se associar os impulsos mais primitivos ao cérebro inferior, situado na base do crânio, onde residem os impulsos sexual e de luta-ou-fuga. Mas são relíquias do nosso distante passado de hominídeos, com centenas de milhares de anos de idade; dificilmente se encontra um mamífero, um pássaro ou um réptil que não exibem esses mesmos impulsos. O que mantém as criaturas vivas bem posicionadas não basta para o *Homo sapiens*. Somos os únicos seres que desconfiam de seus instintos básicos. Teria sido a evolução que, ao longo de milênios, fez isso conosco?

Acredito que as nossas emoções trabalham contra a sobrevivência darwinista. Por exemplo, nós, humanos, cuidamos dos idosos, dos doentes, dos desassistidos. Essa é uma forma de sobrevivência artificial, pois a seleção natural elimina os mais fracos, os doentes e os velhos. (Também não se pode dizer que a compaixão tem raízes nos primatas superiores. Os machos alfa dominam os animais mais fracos por egoísmo, com ferocidade e violência.)

O propósito das emoções se revela não em termos darwinistas, mas no nível da consciência. Um antigo texto espiritual indiano sobre o amor, o *Brihadaranyaka Upanishad*, diz isso claramente. O texto conta que uma rainha quer ouvir a sabedoria mais secreta de seu marido, o rei, e eles têm um diálogo íntimo, simples e honesto. No mais importante verso do *Upanishad* o rei declara: "Todo amor é amor pelo Si Mesmo".

Isso pode soar, erroneamente, como "Todo amor é egoísta". Mas o que o rei quer dizer é: parece que amamos o outro por seu corpo ou sua mente, mas na realidade todo amor vem de uma fonte mais profunda. Essa fonte pode ser chamada de alma ou de Si Mesmo. As iniciais maiúsculas são usadas para designar que esse Si Mesmo está além do ego. Em outras palavras, o Si Mesmo é a porção de consciência pura de cada indivíduo. Sentir amor por alguém cria um vínculo emocional de Si Mesmo para Si Mesmo, de consciência para consciência, de alma para alma.

O QUE É EVOLUÇÃO EMOCIONAL

Até aqui, dissemos que podemos contar com a inteligência criativa para nos dar o que necessitamos e fazer o que precisa ser feito. Isso se aplica às nossas emoções. Certas emoções são necessárias para que a nossa vida seja bem-sucedida e satisfatória, outras não.

Pouca gente vê as emoções dessa maneira. Em vez disso, classificamos as emoções como positivas e negativas, o que é útil até certo ponto. Vejamos a raiva, que às vezes é positiva, outras vezes é negativa, e outras vezes é até totalmente tóxica. Podemos viver sem a raiva, bani-la de todas as formas da nossa estrutura emocional? Uma das virtudes das pessoas iluminadas, segundo a Ioga, é *Ahimsa*, que costuma ser traduzido como "não violência" ou "não praticar o mal". Mas isso não é a mesma coisa que banir a raiva, porque raiva não é a mesma coisa que violência.

Por mais estranho que pareça, existe uma raiva amorosa e uma raiva pacífica. Uma mãe pode ralhar com um bebê por ele rabiscar a parede sem deixar de amá-lo. Podemos expressar a nossa raiva por crimes e guerras, e no fundo permanecermos pacíficos. O que importa é a intenção. Se usamos a raiva com intenção negativa, ela se transforma em algo ameaçador e perigoso. Todo mundo sente isso. Sabemos quando alguém só está com raiva e quando a usa para ir além, atacando-nos ou tentando nos dominar. Conheci uma mulher que já em idade avançada se converteu ao budismo para se livrar da culpa por ter sido uma mãe raivosa, enérgica e dominadora.

Quando os filhos eram pequenos, ela se zangava a seu bel-prazer e quando bem entendia. Uma raiva que pode ser chamada de egoísta ou narcisista. Em seguida, ela se acalmava e nem sequer se desculpava. De alguma maneira, essa mãe ignorava a ruptura destrutiva que estava se criando com seus filhos. Ela me contou que os dois filhos, agora adultos, não conseguiam aceitá-la como uma budista pacífica.

"Não fico mais brava com eles", ela me disse, "e faço todo o possível para mostrar quanto os amo. Mas quando estão perto de mim eles ficam tensos e distantes. O que posso fazer?"

"Fique em paz com a maneira como as coisas são e deixe que eles mudem no seu próprio tempo", eu disse, sem muita convicção.

"Mas isso já vem acontecendo há muitos anos", ela insistiu.

Ninguém se surpreende ao saber o que tinha dado errado. Os filhos ficaram marcados pela raiva da mãe, não porque ela perdia a paciência – como todos os pais –, mas pela intenção por trás da sua raiva. Essa intenção dizia: "Vocês não são nada". É claro que ela não verbalizava tal mensagem, que mesmo assim era captada pela antena emocional das crianças, que é muito sensível. Leva tempo para o nosso coração endurecer à medida que crescemos, mas era isso que havia acontecido nesse caso. Quando garotos, os filhos tinham endurecido o coração contra a mãe, para se defenderem da próxima vez que ela despejasse a sua raiva sobre eles.

Carregar o peso do passado dói e machuca interiormente, e provoca um distúrbio denominado "dívida emocional" (termo criado pelo psiquiatra David Viscott e popularizado em seus livros). O que causa a dívida emocional? Não as emoções de raiva, ansiedade, inveja, ciúme ou qualquer outra. Essas emoções, em si, não causam males duradouros, a menos que estejam atreladas a intenções. Uma má intenção aliada a uma emoção negativa criam, juntas, a dívida emocional que todos acumulam do passado.

DE ONDE VEM A DÍVIDA EMOCIONAL

O passado está entremeado no tecido da nossa estrutura emocional. Velhas mágoas e dores deixaram uma marca, da mesma maneira que o seu polegar deixa no barro a sua impressão digital. A diferença é que as feridas emocionais são invisíveis. Quando sentimos raiva, ansiedade, ciúme ou outra emoção da qual mais tarde nos arrependemos, o passado está falando conosco. Quando demonstramos raiva ou expressamos preocupação para outra pessoa, é o nosso passado falando através de nós.

Para quitar uma dívida emocional de uma vez por todas, precisamos primeiro saber de onde ela veio. Ao ler a lista a seguir, pare por um momento para refletir sobre cada item e veja se consegue identificar situações em que você foi o alvo. Esses incidentes costumam acontecer em família.

A dívida emocional ocorre quando:

Alguém é violento com você. A violência pode ser física ou mental, um acesso de raiva ou um tapa no rosto.
Você sofreu *bullying* na escola ou uma professora o fez se sentir burro.
Você foi castigado injustamente e apelos de inocência não adiantaram nada.
Alguém magoa você e nem se importa. A mensagem oculta é que você não conta.
Alguém parece gostar de você, mas sem querer comete uma traição, como fazer fofoca a seu respeito ou revelar um segredo seu.
Alguém lhe sonega amor para manipular você. A mensagem oculta é: "Se você me ama, posso levá-lo a fazer o que eu quero".
O seu parceiro trai você sexualmente com outra pessoa.
A competição vai além da rivalidade ou de um jogo e se transforma em uma "guerra". De repente, você é surpreendido por um ataque que expõe a sua fragilidade. A mensagem é: "Não seja tão confiante. Isso é sinal de fraqueza".
Um pai ou mãe demonstra favoritismo por um dos filhos. Isso é mais danoso quando a criança não escolhida se sente culpada e é humilhada para ressaltar o fato de que não merece ser amada como o filho predileto.

> Um dos pais compartilha emoções adultas com o filho pequeno. A diferença entre ser criança e ser adulto é necessária para que ela se sinta segura. Esse pai está criando uma enorme ansiedade no filho ao descarregar sobre ele as suas preocupações e temores. O resultado é uma espécie de nó emocional: a criança sabe que o pai tem problemas e nada pode fazer para ajudar.
>
> Essa lista não tem fim. Mas quando entendemos o que é uma dívida emocional, podemos enxergar a relação entre a má intenção e o dano que ela causa. Ter consciência disso nos permite começar a desfazer esses nós e perdoar as nossas dívidas emocionais. E dar início ao processo de cura.

COMO PERDOAR A NOSSA DÍVIDA

O chacra do coração cura quando permite que resíduos emocionais do passado sejam varridos, não por meio de um doloroso retorno a ele, mas pelo fluxo abundante de inteligência criativa. É evidente que não podemos ter uma vida emocional rica se ainda tivermos dívidas emocionais. O que mais cura as emoções são as próprias emoções. Basta um momento de alegria e, nesse exato instante, um pouco da antiga tristeza é dissolvido. Como no caso de uma mancha de tinta em uma camisa, leva tempo para remover as manchas emocionais, mas o método é o mesmo, e a cada estágio há esperança e progresso.

Para curar a si mesmo, esteja alinhado com a inteligência criativa, que só quer o melhor para você. A qualquer momento, a chave é a intenção. Aprenda a reconhecer qual é realmente a sua intenção. Nada mais é necessário. Não é preciso se psicanalisar ou analisar outra pessoa. Basta estar centrado e na consciência simples.

As intenções que estiverem alinhadas com a inteligência criativa aparecerão rapidamente; para elas não há mistério. Dê preferência a elas a qualquer momento. As intenções se expressam em frases que começam com "Quero..."

AS INTENÇÕES DA CONSCIÊNCIA SIMPLES

- Quero me sentir mais realizado.
- Quero ser mais feliz.
- Quero paz.
- Quero ser criativo.
- Quero ser uma influência positiva.
- Quero estar aberto e ser honesto.
- Quero o que for melhor para todos.
- Quero o que for correto e confiável.
- Quero estar emocionalmente próximo dos outros.

O fluxo da inteligência criativa nos apoia exatamente da maneira que precisamos. Quando saímos do caminho, obtemos o que precisamos. O problema é que somos inconsistentes – às vezes agimos com boas intenções, às vezes não. As coisas se complicam, as emoções começam a trabalhar contra a nossa felicidade e a situação acaba saindo dos trilhos.

A maioria das pessoas se sente pouco à vontade emocionalmente e reage com uma forte emoção de raiva, medo ou agitação para sair desse estado. Faz isso passando-o adiante, como se jogasse uma batata quente no colo de outra pessoa. A culpa é especialmente poderosa, porque, em vez de assumirmos a responsabilidade pelo nosso problema, culpar alguém nos permite, ao mesmo tempo, nos livrarmos da culpa e obtermos perdão. A culpa desaparece se alguém for culpado. A culpa não é nossa pelo que deu errado.

Mas transferir a culpa constitui a pior das intenções, porque não estamos agindo bem com nós mesmos e com os outros. É fácil reconhecer quando estamos fazendo esse jogo emocional, que é muito frequente em relacionamentos. Como um hábito como a culpa é muito destrutivo nas relações, passá-la adiante é uma atitude que pode, e deve, ser abandonada. Não é difícil ver como esse jogo acontece.

A TÁTICA DE "PASSAR ADIANTE"

- Atacar.
- Culpar.
- Agarrar-se.
- Dominar.
- Manipular.
- Controlar.

Cada um desses itens é explicado a seguir.

É importante não maquiar esses comportamentos e ver de onde eles realmente vêm.

Atacar. É dirigir a raiva para alguém. Justificamos esse comportamento dizendo coisas como "Ela mereceu" ou "Tive que me defender". Na maioria das vezes, nem tentamos nos justificar. Responder, reagir, perder a paciência, ofender, indignar-se, tudo isso acontece de maneira impensada. Em todos os casos, porém, o outro se sente atacado. Seja qual for a desculpa que dermos, somos a pessoa que ataca e temos esse direito.

Culpar. É algo que costuma vir diretamente da criança interior, que não se sente adequada nem segura o suficiente para lidar com o que acontece. As crianças procuram os pais sempre que se sentem oprimidas; eles são mais fortes e mais capazes. De uma maneira distorcida, estamos fazendo a mesma coisa quando culpamos alguém. Deixamos implícito que somos mais fracos e o outro é mais forte. Queremos que o outro carregue o fardo que não conseguimos ou não queremos carregar. A outra pessoa achará isso injusto, porque a culpa é desequilibrada. Assumimos muito pouco do fardo e passamos o resto adiante.

Agarrar-se. Também é uma reminiscência da infância. Se observarmos o comportamento dos primatas, veremos que os filhotes de macacos, chimpanzés, lêmures e outros se penduram nas mães para serem carregados. Assim, eles se sentem protegidos até que o mundo não pareça tão ameaçador, e então não se penduram mais. Há um momento em que se aventuram sozinhos, mas ao menor sinal de perigo voltam a se agarrar nas mães.

Nos bebês humanos, uma das primeiras habilidades motoras é agarrar-se ou segurar com a mão; agarrar-se na mãe quando surge um estranho acontece já aos nove meses. No caso de uma dívida emocional, entretanto, esse agarrar-se é emocional. Nós nos agarramos passivamente a alguém que seja mais forte. Deixamos que o outro tome as decisões. Em momentos estressantes, sentimo-nos indefesos e precisamos de alguém que cuide de nós. E a outra pessoa sente que está lidando com uma criança.

Dominar. É uma tática de *bullying*. Mesmo que a condenação pública seja comum nas mídias sociais, que geralmente têm como alvo adolescentes e pré-adolescentes, trata-se de um comportamento que começa muito cedo. Se pensarmos como um estudioso do comportamento dos primatas num ambiente selvagem, o *bullying* é um meio de dominar os machos da família ou do bando (e simultaneamente mostrar às fêmeas que elas são subservientes). Mas a analogia com os humanos é precária. O *Homo sapiens*, por ter consciência de si, não tem uma necessidade natural de dominar ou obedecer a outros da sua espécie. Podemos ser autoconfiantes e autossuficientes. Podemos escolher cooperar em vez de competir.

O comportamento dominador tem um viés regressivo. É regressivo porque devolve o *bullying* ao pátio da escola e bloqueia qualquer oportunidade de negociação ou troca emocional. A pessoa dominadora simplesmente quer estar por cima em qualquer situação. Os outros se sentem diminuídos e privados do direito de receber o crédito que merecem, dividir os holofotes e contribuir com o que têm a oferecer.

Manipular. Esse comportamento tem origem nas táticas que funcionavam na infância, quando descobrimos que ao reclamar e choramingar conseguíamos o que desejávamos. Tiramos proveito do amor dos nossos pais manipulando-o em nosso favor. Se a nossa criança interior aprendeu no passado que a manipulação funcionava, essa tática passa a nos acompanhar na idade adulta de várias formas. Seguimos pela vida responsabilizando os outros por não nos darem o que queremos. Ficamos amuados, mal-humorados e nos afastamos para mostrar como eles nos deixam infelizes. Agimos de maneira histriônica, exagerando as coisas de modo completamente desproporcional. Quase sempre os alvos dessa manipulação não notam que estão sendo manipulados (a menos que também sejam especialistas nisso). Só começam a se dar conta disso quando percebem que a outra pessoa está dissimulando as suas reações por razões egoístas.

Controlar. À primeira vista, isso não parece se originar no comportamento infantil, mas há táticas rudimentares, como ataques de birra em público, que são sinais de controle – assim que os pais cedem, a criança para de embirrar, como se desligasse um botão. Mas nos adultos o comportamento controlador emerge de formas mais sofisticadas, como ser perfeccionista, nunca estar satisfeito ou manter vigilância constante, como a pessoa ciumenta que exige que o parceiro diga onde está a cada minuto do dia. Mas também é muito comum não haver um motivo claro para a necessidade de estar no controle. As raízes do comportamento controlador podem estar emaranhadas, mas a outra pessoa não tem nenhuma dificuldade em saber como ele a afeta: ela se sente aprisionada, sufocada e coagida pelos desejos do parceiro.

COMO O JOGO TERMINA

Para cada um dos comportamentos acima descritos, tentei mostrar como é agir de determinada maneira no jogo de "passar adiante", mas também como é ser o objeto disso, aquele que se sente vítima.

Se você perceber que está se comportando de um jeito ou de outro, faça uma pausa e procure retomar um estado de consciência mais equilibrado. Se notar que outra pessoa está usando essas táticas contra você, recuse-se a entrar no jogo. É fácil ser atacado e revidar, mas também é fácil dizer: "Isso não está certo. Preciso de alguns momentos para mim". Se não surtir efeito, diga apenas: "Basta! Fim de jogo". Se isso acontecer em uma situação de trabalho e nenhuma das respostas funcionar, afaste-se na primeira oportunidade.

Se você percebe que está sendo envolvido no jogo de "passar adiante" com outra pessoa, nem sempre surge uma intenção melhor. É quase impossível transformar um clima emocional ruim numa atmosfera animadora. Também é muito difícil, se de repente você nota que as suas intenções não estão funcionando, converter os seus sentimentos negativos em positivos. Não carregue pesos indevidos nas suas costas. Não depende de você consertar o outro ou melhorar uma situação infeliz.

A única coisa a fazer é assumir a responsabilidade pelos próprios sentimentos. Isso é o oposto de "passá-los adiante". Você decide conscientemente não adotar táticas que não fazem bem a ninguém. E assim abre espaço para a inteligência criativa trabalhar. Da sua parte, a mudança mental é consciente, mas é da inteligência criativa que brotam as emoções de que precisamos, que fazem parte dos nossos pensamentos e das palavras que dizemos. Eles estão mutuamente incorporados. Não é possível escolher a emoção certa para cada situação. Há muita interferência do passado para termos uma perspectiva clara. De qualquer maneira, no momento em que conseguimos reconhecer determinada emoção, a espontaneidade da emoção se perde, e as emoções querem, acima de tudo, ser espontâneas.

O quarto chacra: Emoções profundas

A confiança é necessária em cada nível simbolizado pelos chacras, e isso é particularmente verdadeiro no caso do chacra do coração. A sabedoria das emoções é uma tremenda descoberta e está à sua espera uma vez que você tenha a intenção de conhecê-la. Abra espaço para a inteligência criativa e descobrirá que sentir o seu caminho pela vida é uma grande alegria, exatamente como sempre deve ser.

ATIVE O CHACRA DO CORAÇÃO

Esse chacra fortalece todos os aspectos da mente, mas especialmente a intuição, os *insights* e a imaginação. Algumas coisas podem ser aplicadas a todos os chacras:

- Fique na consciência simples. Quando perceber que não está nela, volte a se centrar.
- Medite com o mantra Yam (p. 108).
- Medite com o pensamento centrado "Sou amor" ou "Irradio amor" (p. 111).

Outros passos são mais específicos na ativação do chacra do coração. Uma vez em contato com essa semente de uma emoção de amor ou alegria na nossa consciência, podemos expandi-la a qualquer momento, e esse é o objeto das duas meditações descritas a seguir.

Em ambas, sente-se calmamente sozinho em um ambiente silencioso, livre de distrações. Para se preparar, feche os olhos, respire profundamente algumas vezes e centre-se.

MEDITAÇÃO 1

Rememore uma experiência do passado que lhe deu muita alegria e felicidade. Pode ser um evento tão importante como um casamento ou um nascimento, mas não necessariamente. Talvez um pôr do sol na praia ou uma música que você associa a um momento em que se sentiu extasiado.

Reviva esse sentimento, visualizando a experiência da maneira mais vívida que puder. Não se force a lembrar, deixe que as lembranças venham naturalmente. À medida que faz isso, concentre-se no coração, onde a alegria é sentida fisicamente. Preste atenção nessa alegria profunda e permaneça com ela por alguns minutos antes de começar a abrir os olhos devagar. Continue atento a esse sentimento jubiloso até que cesse por si mesmo.

MEDITAÇÃO 2

A consciência-alegria flui do chacra da coroa para o coração, onde é sentida como afeição, amor e alegria. A visualização disso é muito benéfica. Visualize um ponto de luz acima da sua cabeça. Sem forçar, veja a luz ficar mais forte, mais brilhante. Quando tiver uma imagem clara dessa luz, deixe que ela desça de modo que, aos poucos, inunde o seu coração.

Uma luz branca ou azul costuma ser mais eficaz. Se for fácil para você, visualize o seu coração feito de luz.

> Permita-se irradiá-la para além dele. Nessa meditação, o sentimento de alegria é como um efeito colateral da luz. Não é preciso se esforçar para alcançá-la como um sentimento.

O TERCEIRO CHACRA
AÇÃO PODEROSA

O TERCEIRO CHACRA

Localização: *Plexo solar*
Tema: *O poder da ação*
Qualidades desejáveis: *Saúde física*
Força de vontade
Determinação
Atividade bem-sucedida

Para a grande maioria das pessoas, o poder pessoal real parece uma impossibilidade. Muitos sentem o contrário – que têm pouco controle sobre aonde são levados pela vida. A pressa de mudar está em toda parte, e a vida moderna tem complexidades que gerações anteriores jamais sonharam. Em meio ao tumulto da atividade humana, as forças da natureza se mantêm indiferentes, como são há bilhões de anos. Essa imagem nos reduz, seres humanos, a meras manchinhas cuja existência não tem uma consequência real no esquema geral das coisas.

O sistema de chacras inverte esse quadro e inclui o poder pessoal no plano da inteligência criativa, cujo poder é infinito. A nossa força está na consciência, quando tomamos consciência dela. O terceiro chacra, localizado no nível do plexo solar, acima do umbigo, é conhecido como o chacra do poder. Sua energia está associada a ações de todo tipo, entre elas a motivação que as impulsiona.

A inteligência criativa conhece o caminho para a conclusão bem-sucedida da meta que definimos para nós. A Ioga define as ações bem-sucedidas como o poder pessoal. Dessa nova perspectiva, não existem os sentimentos de fraqueza, solidão, isolamento, insignificância e pequenez. Esses são apenas sintomas de que estamos desconectados da nossa fonte.

A consciência-alegria é mais do que uma experiência subjetiva – ela nos conecta com o mundo. Os pensamentos, sobretudo os de forte intenção, fazem as coisas acontecerem espontaneamente. Eu ficaria surpreso se você já acreditasse nisso, mas a melhor maneira de fazê-lo é testar essa ideia nas suas atividades diárias depois de ler este capítulo. Se o fluxo da inteligência criativa consegue fazer as coisas acontecerem "lá fora", então já estamos seguindo a nossa alegria no assim chamado mundo real.

É claro que muitas vezes pode parecer que somos impotentes. Mas o que realmente estamos experimentando nos momentos de dúvida, medo e fraqueza são as nossas reações ao mundo. Nós nos sentimos impotentes porque as nossas reações são impotentes. Reaja sempre da mesma maneira e esse sentimento persistirá. O terceiro chacra nos liberta para sermos poderosos agentes de mudança na nossa própria vida e na vida dos que nos rodeiam. A alegria se espalha pelo mundo, como no costume japonês da generosidade, quando o anfitrião enche o copo do convidado até derramar.

O terceiro chacra é a nossa área de poder, onde a intenção e a satisfação estão automaticamente interligadas. Ao permitir que a consciência-alegria assuma todo o processo, estamos livres para seguir nossa própria visão, sabendo que do nosso lado está a inteligência criativa. Por mais radical que isso possa parecer, é absolutamente seguro alinhar a nossa ação à nossa própria visão.

ESTAR NA ÁREA

Um conjunto de condições específicas nos diz se estamos agindo a partir do chacra do poder. Elas são bem conhecidas nas competições esportivas, e você já deve ter ouvido falar em "estar na área". Quando o jogador de futebol americano "está na área", cada passe é concluído não como ocorre normalmente, mas como se acontecesse por si mesmo. Isso também se dá com o jogador de golfe que acerta a bola em um buraco a 130 metros de distância. Desaparecem todo o esforço, a prática, a tensão e a adrenalina que abundam nos esportes competitivos, para dar lugar a um conjunto de experiências muito diferentes.

Estar na área não é um termo exclusivo do esporte, e nosso objetivo neste livro é que se torne uma experiência normal. É muito provável que você já saiba como é estar na área sem nunca ter usado essa expressão. A experiência tem os seguintes elementos:

- Você tem certeza de que será bem-sucedido.
- Você se sente calmo interiormente, mas também alerta e desperto.
- Todos os obstáculos desaparecem.
- Você sente uma energia vibrante no corpo.
- Você experimenta a leveza do ser.
- Seus atos parecem acontecer por conta própria.
- O tempo parece passar muito lentamente ou quase parar.
- Você se sente despreocupado e feliz.

Esses elementos podem parecer estranhos na vida diária, mas para a maioria de nós eles são vividos em uma circunstância especial: quando nos apaixonamos. Um bom goleiro que pega uma bola em um passe longo e com efeito no futebol não se assemelha a um Romeu recitando poemas sob o balcão de Julieta. Mas ambos estão ligados pela consciência-alegria. Estamos tão acostumados a separar o "aqui dentro" do "lá fora" que o êxtase do bem-amado parece muito diferente do salto que o goleiro dá para apanhar a bola. Mas o fato é que só há uma área de poder, seja ela vivenciada "aqui dentro" ou "lá fora". O amante apaixonado ocupa a área tanto quanto o atleta profissional.

Infelizmente, todos nós temos mais experiências fora da área. O fato de estarmos tão acostumados com obstáculos, reveses e fracassos é testemunha de que a inteligência criativa está bloqueada. Há uma desconexão entre o que realmente queremos e o que temos de fato. Isso tem que mudar. "Estar na área" é normal.

> Só é preciso que o terceiro chacra esteja aberto para a inteligência criativa fluir através dele. Como veremos, o desbloqueio do terceiro chacra acontece através de uma mudança na consciência, o que é sempre possível.

DOMINE A ÁREA

Agora que conhecemos as mudanças que precisam ser feitas, deixemos a inteligência criativa agir. A ação é uma categoria muito ampla, e em tudo que fazemos sempre existe a possibilidade de acontecerem acidentes, erros, obstruções e consequências imprevistas. Mas a coisa muda de figura quando compreendemos que a consciência simples é tudo de que precisamos. Estando na consciência simples, descobrimos como dominar a área.

Já vimos o que é a consciência simples; ela se caracteriza pela calma interior, pelo estado de alerta e pelo relaxamento. A chave é permanecer na consciência simples enquanto atravessamos um dia repleto de solicitações, deveres e distrações. A tradição iogue valoriza muito a habilidade de relaxar e confiar totalmente na consciência simples, mas no Ocidente a consciência simples praticamente não tem espaço no dia a dia.

Em vez disso, somos constantemente lembrados de que devemos estar atentos aos fatores externos. Se, como muita gente, nos atemos à perspectiva ocidental, a pressão e o estresse só aumentam. E é inevitável que isso aconteça porque, para sermos bem-sucedidos, a nossa energia tem que ser aplicada em muitas frentes. Você consegue realmente fazer tudo que é descrito a seguir?

- Manter uma atitude positiva.
- Esforçar-se para ser vitorioso e não um perdedor.
- Motivar-se e estimular a motivação dos que estão à sua volta.
- Agarrar as oportunidades que surgem.
- Recompor-se rapidamente depois de contratempos.
- Não demonstrar medo ou nervosismo.
- Manter o seu moral e levantar o dos outros.
- Atender à exigência de muito trabalho e esforço.

Estar atento a tudo isso é essencial para a mitologia do sucesso. Ao adotá-la como estilo de vida o sucesso está garantido, se não o tempo todo, ao menos por algum tempo. Mas temos aí um obstáculo. A abordagem ocidental nos tira da área, e, uma vez que isso aconteça, certamente ficamos de fora. Por definição, mergulhar de cabeça na batalha pelo sucesso nos mantém na luta. Nesse jogo em que os atores estão totalmente absortos em ganhadores e perdedores, no longo prazo o resultado não é ganhar nem perder – a consequência mais comum é exaustão e esgotamento. Muita gente anda por aí estressada e esgotada porque acha que esse é o preço a ser pago por uma chance de sucesso.

É importante reconhecer os sinais de quando não estamos na área, entre os quais os seguintes:

- Você está entediado no trabalho ou até detesta o seu emprego.
- Sua vida não tem sentido.
- Você acha que tudo é inútil e se pergunta: "Para que tudo isso?"
- A sua atividade é árdua e exige esforço excessivo, exaurindo a sua energia.
- Você se sente inseguro sobre o próximo passo a dar.
- Sua atenção vagueia e você se distrai com facilidade.
- Você acha que está se esforçando demais.
- Você anda nervoso e não se sente seguro do resultado final.

- Há muita oposição e obstáculos na sua vida.
- Você apresenta sintomas de estresse, como rigidez e tensão no corpo.
- Você está mentalmente sobrecarregado e ansioso.

Digamos que estar fora da área é a condição mais comum. Lutar contra os sintomas listados acima não é o caminho da Ioga, porque ela preconiza apenas uma necessidade: *Saia do seu próprio caminho*. Fique na consciência simples e deixe a inteligência criativa assumir o comando. Três coisas estão envolvidas nisso: *observar, desapegar-se* e *não fazer*. Todas acontecem naturalmente; basta estar atento a elas e torná-las uma parte significativa das suas atividades diárias.

Nota: Para ter uma experiência pessoal desses três aspectos da consciência, veja a meditação no final do capítulo.

Observação: Quando testemunhamos a maneira como agimos, nós nos colocamos na posição de observadores. Sem perceber, somos todos observadores, porém de forma inconstante. Sempre notamos o que fazemos, seja uma ação banal como abrir a geladeira ou tão importante quanto presidir uma reunião. O observador é uma parte necessária da consciência de si – não é ver fisicamente através dos olhos, mas estar atento e consciente do que está fazendo.

Entretanto, na maior parte do tempo as pessoas estão envolvidas em ações habituais e inconscientes. Ligam o piloto automático e ficam repetindo velhos comportamentos, fisicamente, mentalmente e até espiritualmente. O elemento observador sai de cena e a ação mecânica ocupa o seu lugar. Por outro lado, quando a pessoa está na área, é como se estivesse do lado de fora de si mesma, observando as próprias ações, assistindo a um filme ou sonhando. Essencialmente, é o observador tomando o lugar do ego.

Na observação, as atividades básicas do ego – ligar e desligar, aceitar e rejeitar – desaparecem. Uma força maior e mais poderosa, que é a inteligência criativa, passa a dominar. Ela opera a partir de uma consciência muito mais ampla que a do ego. A pessoa tem a intenção, como antes, mas agora sem perder a consciência de si.

Como observadores, sabemos claramente o que estamos fazendo. É como estar absorto em um filme e não prestar atenção em mais nada ao redor.

Desapego: O que se experimenta aqui é soltar, deixar ir. Quando nos desapegamos de algo, não há mais *necessidade* de forçar, lutar, empurrar ou se esforçar ao máximo. Essas são táticas do ego, ele sai para conseguir o que quer por todos os meios necessários. Quando alguém está na área e faz algo notável em circunstâncias excepcionais (por exemplo, em uma final de campeonato ou na linha de frente da batalha), declara depois: "Não fui eu que fiz aquilo". Em outras palavras, a pessoa tem consciência de que se encontrava em um estado em que o controle foi assumido por uma força inominável.

O ego não confia no desapego, e, como a sociedade é composta de uma coleção de egos separados, nenhum de nós aprendeu a valorizá-lo – pelo contrário. No Ocidente, desapego é o mesmo que passividade, indiferença, sentar-se e ver a vida passar. O que esse ponto de vista ignora é que o desapego é necessário para continuarmos vivos e funcionando. Os fisiologistas dividem o sistema nervoso central em duas partes, o sistema nervoso voluntário e o involuntário. O voluntário está sob o nosso controle consciente, enquanto o involuntário opera automaticamente, sem a nossa interferência. A questão de estar ou não no controle é irrelevante porque, como ocupantes desse corpo, não somos capazes de controlar absolutamente nada. Uma leitura de cada função do nosso corpo que está ocorrendo neste momento seria quilométrica, isso se a medicina moderna pudesse medir todas elas.

Sem precisar da nossa intervenção, a inteligência criativa se manifesta no corpo de forma milagrosa, e as funções involuntárias agradecem (se pudessem falar) por não terem que aturar a nossa intromissão. Mas, infelizmente, nós nos intrometemos. Nós nos sujeitamos ao estresse diariamente e o sistema nervoso involuntário se sobrecarrega. Por se adaptar com facilidade, o corpo se ajusta à sobrecarga, mas acaba pagando um preço por isso, com os efeitos do estresse prolongado, o envelhecimento e o surgimento de doenças crônicas.

Nessas áreas, os benefícios da meditação são tão conhecidos que nem precisariam ser mencionados, mas é bom saber que o maior beneficiado é o sistema nervoso involuntário. Na meditação, vivenciamos a consciência simples, e o corpo experimenta um estado sem estresse. Esse período de relaxamento abre espaço para que as reações de cura desfaçam os efeitos maléficos da sobrecarga. O mesmo se aplica ao sistema nervoso voluntário. Quando a mente consciente é aliviada da constante atividade do dia a dia, abre-se um espaço para a inteligência criativa entrar em ação, trazendo clareza mental, atenção focada, percepção relaxada e abertura para novas respostas e soluções.

Uma vez que se compreenda esse quadro, o desapego perde suas conotações negativas. Não somos indiferentes nem passivos. Mas paramos de interferir para que a inteligência criativa faça o que deve ser feito.

Não fazer: De acordo com o que nos foi ensinado, a vida é fazer, de modo que a expressão *não fazer* soa como algo lerdo, suspeito e até impossível de acontecer. Se paramos de fazer, nada acontece senão estase e estagnação. Entretanto, não fazer é de fato um caminho para as ações bem-sucedidas. Isso requer uma explicação.

Quando nos encontramos na área, coisas magníficas podem ser conquistadas, mas essa não é a principal razão para estarmos lá. A principal razão é nos reconectarmos com a consciência-alegria. Estando conectados, a inteligência criativa passa a funcionar a todo vapor e não precisamos mais interferir em nada na vida. Nem sentimos necessidade disso, porque tudo acontece por si mesmo, tranquilamente. Podemos fazer escolhas sem estresse, sem pressão, sem exigências. Fazer apenas o que nos agrada leva a resultados mais frutíferos e eficazes.

Como se pode imaginar, o ego não terá nada disso. Ele emitirá sinais de alerta por toda parte: "Como você conseguirá sobreviver, e ainda se sair bem, se ficar aí parado, confiando nessa tal inteligência criativa, que não passa de uma ficção criada pela imaginação mística?" A indignação do ego parece sensata, mas apenas porque ele vê a vida de uma perspectiva muito estreita. Ele é privado da consciência simples, pois no nível do ego viver se resume a "O que eu ganho com isso?". Há uma preocupação constante com desejos e necessidades, mesmo que sejam imaginários.

A consciência simples não funciona assim. Observar, desapegar-se e não fazer não são programações; não estamos programados para nada. São só aspectos da consciência simples. Existem em nós como partes do "Eu me basto". Que fique claro que precisamos experimentar o não fazer para saber que ele faz parte de nós, assim como precisamos experimentar o desapego e a observação. É quando o caminho da consciência de si vem para nos religar a quem realmente somos.

ENCONTRE O CAMINHO

O ego tem ao seu lado um forte motivador: o egoísmo. Mas nada do que ele obtém nos permitirá estar na área. Por outro lado, não podemos culpar quem prefere seguir o ego aonde ele for. Uma vozinha talvez nos sussurre algo sobre tomar um caminho melhor, mas este não surge magicamente. A jornada baseada em "Eu não me basto" sempre termina em promessas não cumpridas.

Recentemente encontrei um exemplo tocante dessa lição. Em uma pequena cidade austríaca não muito distante de Viena, a viúva de um magistrado vivia sozinha em sua casa. Seu nome era Marianne Berchtold, e ela nascera em uma família de músicos em 1751. Havia anos que a idosa Marianne, conhecida na infância como Nannerl, estava com a saúde fraca. Um visitante a descreveu em 1829 como "cega, desatenta, exausta, fraca e quase muda".

Os amantes da música devem saber que Mozart tinha uma irmã mais velha cujo apelido era Nannerl – era a solitária *Frau* Berchtold. Eles tinham formado a famosa dupla de crianças-prodígio produzida pela família Mozart. Aos 8 anos, Nannerl era uma

O terceiro chacra: Ação poderosa

pianista de extraordinário talento. Teria sido considerada notável, capaz de ensinar a muitos adultos a arte do teclado, não fosse o fato de Wolfgang ser ainda mais talentoso do que ela.

Aos 4 anos, ele começou a tocar as peças que Nannerl tocava e, aos 5, a compor e improvisar em qualquer tom. Sabia de cor peças extensas, e quando seu pai, Leopold, levava a dupla em turnês, Wolfgang gostava de fazer um truque: alguém cobria o teclado do piano ou do cravo com um pano, e o pequeno tocava divinamente sob o pano sem ver as teclas.

É difícil identificar a cega e praticamente muda Marianne com a menina que, como pianista, foi quase similar a Mozart. Ela tinha sido admirada por reis e rainhas e recebido generosos presentes nas centenas de casas nobres em que as crianças Mozart haviam tocado. Nannerl e Wolfgang tinham um bom relacionamento, mas perderam o contato antes da trágica morte de Wolfgang, em 1786. Ela sobreviveu por mais quarenta anos e nunca mais tocou piano.

Apesar das suas extraordinárias circunstâncias, ela acabou desperdiçando o seu dom e ficando aprisionada por limitações. Se pudéssemos trazer Nannerl Mozart para os nossos dias, as circunstâncias seriam outras. Na Viena do século XVIII, as mulheres não podiam ser musicistas profissionais. Hoje Nannerl certamente teria uma carreira. A sociedade lhe permitiria optar por não obedecer ao pai e não ficar presa a um magistrado insignificante em total obscuridade. Mais que isso, poderia ter uma velhice confortável, provavelmente livre da cegueira provocada por catarata ou glaucoma, as duas causas mais comuns de perda da visão, que hoje são curáveis. (Não se sabe como Mozart morreu, talvez tenha sido de febre reumática, hoje facilmente curada com antibióticos.)

Afora essas circunstâncias angustiantes, o caminho para a consciência de si continua tão oculto quanto era no século XVIII. O talento musical é um dom da inteligência criativa, mas não muda o estado da consciência da pessoa. Se tivéssemos uma varinha mágica e pudéssemos fazer desaparecer o infortúnio, não conseguiríamos impedir ninguém de ficar encarcerado nas prisões da mente.

Libertar-se das prisões criadas pela mente depende de cada um. Elevar-se acima do "Eu não me basto" deve ser o nosso primeiro e mais importante projeto. Os irmãos Mozart tiveram a sorte de ser recebidos por ricos patronos. A nossa sorte é que, não importa quão bem ou mal a vida nos trata, o caminho oculto nunca nos foi negado. Ele permanece, em toda a sua pureza, tão acessível quanto sempre foi.

A Ioga nos dá uma visão universal da condição humana ao abrir para nós todas as possibilidades. O caminho oculto é ativado quando seguimos uma visão sabendo onde queremos chegar. Veja como é a visão da Ioga, traduzida em palavras que se aplicam a todos.

UMA VISÃO QUE SE PODE VIVER

- A verdadeira medida do sucesso é a alegria.
- Estar na área é normal.
- Despertar é um processo constante.
- A sua realidade é criada na sua consciência.
- A vida é um campo de infinitas possibilidades.
- Cada dia deve nos trazer mais satisfação.
- Batalhar e se esforçar é desnecessário.
- Existe outro caminho além da dor e do sofrimento.

A maioria desses axiomas é bem conhecida, porque os apliquei aos chacras que provocam uma nova transformação da consciência-alegria. Agora chegamos ao nível da ação, que traz a alegria para o mundo cotidiano da família, dos amigos, do trabalho e dos relacionamentos. Não importa quanto o mundo "lá fora" exija de nós, temos a nossa própria visão e podemos vivê-la. Vamos transformá-la em algo prático para facilitar as nossas escolhas a partir de agora.

EVOLUA A CADA DIA

Não é segredo para ninguém que a vida é dinâmica – todos nós estamos sujeitos à mudança. A mudança, em si, não significa nada. Uma pedra deixada ao ar livre acaba se transformando em poeira pela ação do vento e da chuva. Leva cerca de 2 bilhões de anos para que os elementos básicos de uma pedra, somados aos elementos da água e do vento, encontrem uma maneira de evoluir do caos. O resultado é o que chamamos de vida, porque os seres vivos usam a matéria bruta do planeta para evoluir. A evolução é o empurrão que derrota o caos.

Isso era válido há bilhões de anos e continua sendo hoje, mas em um nível muito superior. Os seres humanos podem evoluir conscientemente. Não importa quantas coisas maravilhosas possamos inventar ou descobrir, todas elas sinais de progresso, a evolução sempre começa na consciência. Tudo se resume à evolução pessoal e à escolha de evoluir diariamente.

Podemos evoluir agora mesmo escolhendo o que supera a desordem, o caos e a disfunção. Alguns exemplos:

- Agir para diminuir o estresse em casa e no trabalho.
- Deixar o nosso ambiente imediato calmo e em ordem.
- Parar de fazer o que sabemos que não nos faz bem.
- Começar a fazer o que sabemos que nos faz bem.
- Dar prioridade à vida interior.
- Encontrar uma fonte de inspiração.
- Ter mais contato com quem nos deixa bem.
- Ter menos contato com quem nos desencoraja e nos maltrata.
- Procurar estimular alguém.

REVERTA A ENTROPIA

Viver é fluir suavemente, sem lutar e resistir. Quando estamos lutando e resistindo, perdemos energia. A física chama isso de entropia. Cedemos à entropia quando as nossas escolhas não mantêm a energia fresca e renovada. Todo mundo sabe como é ter a própria energia drenada no nível emocional por alguém ou por uma situação. Entretanto, a drenagem de energia vai além dos relacionamentos importantes. Também vai além de um dia agitado que nos deixa esgotados.

O dano real é que a entropia é o oposto da evolução. Não podemos evoluir se estamos preocupados em manter à distância a desordem e o caos, se atravessar o dia nos deixa exaustos ou se o estresse é constante mesmo que em um nível baixo. Na física, entropia se aplica principalmente à tendência da natureza de espalhar o calor para mantê-lo em níveis suportáveis. Nas questões humanas, é a renovação diária da energia nos níveis mental, emocional e físico.

Para reduzir a entropia e encorajar a renovação, eis algumas sugestões:

- Mantenha a sua carga de trabalho na sua zona de conforto.
- Pare o que faz para se alongar e se mexer de hora em hora.
- Não pratique uma atividade até se cansar.
- Sente-se e relaxe brevemente várias vezes ao dia.
- Não seja dependente de café ou outros estimulantes.
- Foque em dormir bem para estar renovado de manhã.
- Evite temas polêmicos que provocam discussões.
- Divida as tarefas domésticas entre os familiares. Não se martirize assumindo responsabilidades que outros deveriam assumir.
- Fracione as atividades tediosas, rotineiras ou ultrapassadas. Idealmente, diminua-as o máximo que puder.
- Leve a sério a redução do estresse.
- Evite pessoas que o deixem esgotado.

FIQUE PERTO DA FONTE

A inteligência criativa flui em qualquer atividade que estejamos realizando. Ela é mais forte na fonte e por isso as nossas ações, sejam quais forem, devem estar próximas dela. Sempre que estamos profundamente absortos em alguma atividade, é sinal de que estamos perto da fonte. O mesmo se aplica à atividade criativa e à meditação, nas quais a atividade cerebral é muito semelhante. Valorize esse estado de consciência e permaneça nele. A mente ativa tende a reagir – qualquer distração pode interromper o estado de quietude, portanto de foco intenso, quando não estamos perto da fonte. Tenha como meta aproximar-se da fonte diariamente.

Eis algumas sugestões:

- Concentre-se em uma coisa por vez. Não tente ser multitarefa.
- Se notar que está perdendo o foco, pare e descanse por alguns minutos com os olhos fechados.
- Procure fazer algo criativo todos os dias.
- Reflita sobre o que realmente lhe traz alegria e arranje tempo para isso.
- Faça meditação ou ioga regularmente.
- Reserve um tempo para absorver a beleza da natureza.
- Peça para não ser interrompido durante uma parte do dia para que possa se dedicar a uma atividade que envolva foco e atenção.
- Desligue o celular pelo menos meia hora por dia. Fique longe dele durante uma atividade focada ou criativa.
- Não se torne dependente de atividades que deixem sua mente lenta e passiva, como assistir à tevê durante muitas horas seguidas.

EXPANDA AS SUAS POSSIBILIDADES

É na fonte que está o campo das infinitas possibilidades. Os seres humanos desfrutam de uma existência aberta porque as possibilidades da vida jamais se esgotam. Mas há pressões fortes, internas e externas, para limitar severamente as possibilidades que somos capazes de experimentar. A pressão para a conformidade, o desejo de não ser estranho, sentimentos reprimidos e o pensamento de grupo exercem influências inibidoras. Um indivíduo mediano não compõe quarenta peças musicais em um ano como Franz Schubert (quase o dobro da produção de Mozart), nem produz um total de 1093 patentes como Thomas Edison, e muito menos tem mais de 2 mil trabalhos publicados como Voltaire ou dezenas de outros escritores. Mas a inteligência criativa existe para a pessoa se expandir, explorar, conhecer e descobrir. Isso é diferente de obsessão, que depende da repetição, provoca exaustão e não dá prazer nenhum. Expandir as nossas possibilidades diariamente faz a vida vibrar, e a direção a seguir vai depender da escolha de cada um.

Eis algumas sugestões:

- Comprometa-se com um projeto desafiador e de longa duração, como aprender uma língua estrangeira.
- Exponha-se a ideias desafiadoras.
- Envolva-se em uma atividade que amplie seus horizontes, como um trabalho comunitário ou de caridade.
- Envolva-se em trabalhos voluntários para ter contato com pessoas de raça, educação ou classe social diferentes das suas, por exemplo.
- Faça uma faculdade ou uma pós-graduação.
- Ouça *podcasts* ou assista a palestras que plantem as sementes de um novo interesse.
- Mantenha fofocas e opiniões inúteis fora das conversas, propondo tópicos interessantes para discussão.

- Encontre um confidente com quem possa compartilhar os seus pensamentos e sentimentos mais profundos.
- Torne-se um mentor.

Como se vê, ter uma visão – e colocá-la em prática diariamente – é o melhor e mais elevado uso que se pode fazer de uma atividade. Mantém ativo o fluxo da inteligência criativa. Não podemos dizer, como observadores, se os animais experimentam a vida como algo vibrante e alegre. Eles, por sua vez, não podem dizer como nós, humanos, nos destacamos porque a nossa existência é aberta. Mas com certeza o nosso desígnio é ter uma existência completamente dinâmica e evolutiva. O crescimento pessoal é uma possibilidade exclusivamente humana. Aproveite essa oportunidade diariamente e estará na área, fortalecido pela inteligência criativa como seu estado normal de ser.

ATIVE O CHACRA DO PLEXO SOLAR

Esse chacra fortalece todos os aspectos da ação, mas especialmente a conexão entre intenção e realização. Outras coisas se aplicam aos chacras em geral:

- Fique na consciência simples. Quando notar que não está nela, volte a se centrar.
- Medite com o mantra Ram (p. 108).
- Medite com o pensamento centrado "Sou o meu poder" ou "Sou o empoderamento" (p. 111).

Outros passos visam mais especificamente ativar o chacra do plexo solar. A Ioga é bastante explícita sobre como um desejo se realiza no nível da intenção. Ultrapassamos o estado do ego de desejar infinitamente, que só quer repetir experiências agradáveis do passado. Isso fica borbulhando o tempo todo e bloqueia a nossa visão da consciência mais profunda.

Por baixo da tagarelice da mente, ter uma intenção está ligado à realização da intenção, segundo a ioga, através de uma habilidade chamada *Samyama*. Esse é o termo em sânscrito para "segurar", "aglutinar". Nesse caso, nós aglutinamos a intenção e o resultado que ela busca. O Samyama envolve a fusão de três ingredientes. Eles existem no nosso processo normal de pensamento e não têm muito poder. O poder vem com o aprofundamento do processo.

Aprofundar-se mais, indo além da atividade superficial da mente, é o que conhecemos como *Samadhi*.

Quando temos em mente uma forte intenção, isso é *Dharana*.

Quando nos mantemos focados e esperamos o que acontece, isso é *Dhyana*.

Deixando de lado os termos em sânscrito, o que importa é que o Samyama é tão natural quanto pensar e desejar no nosso dia a dia. Se você toca violoncelo ou sabe fazer um suflê de chocolate, esse é o nível de consciência onde essas habilidades estão. Fique lá com a atenção focada e especifique o que quer realizar.

Quanto mais praticamos, mais hábeis nos tornamos no Samyama, que se desenvolve naturalmente na consciência simples e é aprofundado quando se medita com o mantra. Isso é *Samadhi*, o nível de consciência que é alcançado e que apresenta o que talvez seja o maior desafio. Não é possível dizer: "Quero ir mais fundo". Só falar não adianta nada. Nenhuma experiência extraordinária acontece até o Samadhi se aprofundar tanto na consciência que o tempo e o ego desapareçam. Então estaremos muito próximos da própria base da consciência e do silêncio eterno.

Podemos melhorar o Samyama seguindo algumas dicas:

- Encontre tempo uma ou duas vezes ao dia para meditar com o mantra de quinze a vinte minutos.
- Ao final de uma boa meditação, veja claramente o que gostaria que tivesse acontecido. E então fique alerta para saber como essa intenção está agindo.
- Quando em atividade, ao perceber um momento de mente silenciosa, permaneça lá em vez de deixar o momento passar.
- Quando alguma coisa boa cruzar o seu caminho sem que você faça nenhum esforço, apenas observe e diga mentalmente: "Está funcionando" — é o caminho da consciência de si.
- Fique bem consigo mesmo ao experimentar sucessos ou fracassos. O fardo não está em você. A inteligência criativa trabalha através de você o melhor que pode.

- Não fique tão ansioso para correr atrás das solicitações e desejos do seu ego. Tenha momentos de inatividade diariamente. Aprecie a natureza. Volte-se para dentro de si mesmo sempre que puder e reserve um tempo livre para usufruir dessa experiência.

O SEGUNDO CHACRA
A VIA DO DESEJO

O SEGUNDO CHACRA

Localização: *Parte inferior das costas (o sacro)*
Tema: *Realização dos desejos*
Qualidades desejáveis: *Os cinco sentidos*
Desejos físicos
Sensualidade, sexualidade

  Existem muitos caminhos na vida. Não importa que caminho for, todos são o caminho do desejo. O desejo nos motiva a fazer o que queremos. Mesmo que o asceta busque renunciar a todos os desejos mundanos, essa meta – talvez a renúncia para alcançar a paz interior – é o seu desejo. Perseguimos um desejo, assim como a criança estende a mão para alcançar um doce. Não há motivação mais forte e persistente que o desejo.

O desejo também ocupa um lugar importante no sistema de chacras. A sua satisfação é o propósito do segundo chacra, localizado na parte inferior das costas, no osso sacro. É onde a consciência-alegria se transforma nos cinco sentidos e no prazer sensual e sexual. Segundo um ensinamento básico da Ioga, o desejo tem raízes nos sentidos. Todo mundo sabe disso. Passamos os dias olhando, ouvindo, tocando, percebendo sabores e aromas. O que é atraente para os sentidos ou nos aproxima ou nos faz buscar pessoas e objetos. O que os sentidos repelem é um sinal para tomarmos outra direção.

O poder do ego é derivado do desejo. "Quero isto" e "Não quero aquilo" mantêm a vida girando em torno do ego. Quando nos livramos das prioridades do ego, o desejo passa a ter outro objetivo. Em vez de promover o ego isolado, separado, o desejo se transforma em alegria. A trajetória dos nossos desejos seria assim:

Impulso alegre –> Ação alegre –> Resultado alegre

Quando o início e o fim de um processo se encontram, o resultado é Ioga, é união. Não há nada de exótico nem místico nisso. Uma mãe quer ninar o seu bebê, ela o envolve nos braços e começa a balançá-lo para a frente e para trás. A experiência começa com um impulso agradável, continua com uma ação agradável e resulta em uma situação agradável.

Neste exato momento, o caminho do desejo na vida de todos nós é ditado pelo ego, com seus infinitos quereres, necessidades, impulsividades e anseios. Em vez de alegria, a experiência começa com carência: "Não tenho o que quero". Mas quando o desejo está apoiado na consciência-alegria, a nossa motivação é expandir a alegria. É por isso que "Siga a sua alegria" não é o mesmo que "Siga o seu próximo anseio".

DESEJOS DITOSOS

O que valorizamos na vida cresce, e o que ignoramos o vento leva. Temos a escolha de priorizar o impulso que quisermos, portanto, os desejos ditosos também podem ser priorizados. Não é preciso forçar ou controlar o processo, basta mudar o foco da atenção. Estamos expressando um impulso de alegria quando...

- demonstramos amor e afeto;
- valorizamos alguém;
- aliviamos a dor e o sofrimento do outro;
- somos altruístas, através da doação generosa;
- buscamos o conhecimento;
- fazemos o que é certo;
- comunicamos a nossa verdade;
- ensinamos algo a uma criança;
- oferecemos esperança e encorajamento;
- inspiramos a nós mesmos e aos outros.

Ao privilegiar esses desejos, nós nos alinhamos com o fluxo da inteligência criativa. Em linguagem comum, esses são atos do "não eu", mas é impossível eliminar o eu e não é o que queremos. O eu é a nossa via do crescimento pessoal. Os desejos da alegria deveriam se chamar "aegoicos", porque nos afastam das prioridades do ego. Se seguíssemos os desejos do ego o tempo todo, não daríamos importância a nada. Ignoraríamos os necessitados; não teríamos vontade de proteger os mais fracos, não

> ajudaríamos quem sofre nem confortaríamos alguém num momento difícil.
> Felizmente, o desejo tem outra dimensão que inclui as demais pessoas, a gentileza e a compaixão. Ao privilegiar esses impulsos, nós nos afastamos da insegurança e da carência do ego. Nada substitui a experiência da alegria, então permita que ela oriente o seu crescimento pessoal.

PRECISAR *VERSUS* QUERER

É claro que nem todos os desejos, vontades e sonhos se realizam. Na maioria das vezes, a decepção aparentemente está além do nosso controle. Queremos trabalhar, mas não arranjamos emprego; participamos de uma corrida, mas não chegamos em primeiro lugar; desejamos um parceiro ideal, mas não o encontramos. A quantidade de vezes que não conseguimos o que queremos fica na memória e influencia a nossa maneira de ver toda a questão do desejo.

Na tradição iogue, nada nos é negado se o que desejarmos estiver apoiado no darma. O que há de errado em simplesmente querer o que queremos? Querer o que se quer nem sempre coincide com o que precisamos, e o darma apoia aquilo que necessitamos, e não qualquer desejo que passe pela nossa cabeça. Além disso, o ato de meramente querer alguma coisa é, na maioria das vezes, superficial, uma centelha de desejo perdida no ruído constante da atividade mental.

Essa explicação não é um jeito dissimulado de justificar desejos não realizados. Se queremos algo e não conseguimos, ninguém, nem mesmo um iogue ou um guru, tem o direito de nos dizer que abordamos o processo de maneira errada, e que portanto somos os únicos culpados pelo nosso fracasso. Estando na consciência simples, há menos desejos inúteis flutuando pela mente. Por estarmos alinhados com a inteligência criativa, é muito mais provável que tenhamos intenções que correspondam a necessidades reais. E os desejos terão grande chance de se realizar.

A essa altura, sinais de alerta podem surgir. Quando éramos crianças, tínhamos o hábito de dizer "Eu quero" a todo momento, e nossos pais fechavam a cara e respondiam "Você não precisa realmente disso". Assim, *precisar* se tornou uma luta contra o desejo. Contudo, restringir-se à satisfação das necessidades básicas não é ter uma vida boa (embora, a rigor, ninguém precise de mais nada além de algumas peças de roupa, uma alimentação básica e um teto sobre a cabeça).

"Precisar" tem que ser reformulado para perder essa conotação negativa, porque as necessidades básicas estão associadas muito mais à escassez do que à abundância. Além disso, a maioria das pessoas pensa em termos de necessidades materiais, quando a necessidade que a criança tem de amor é genuína e não desaparece na vida adulta. As necessidades materiais e psicológicas são muito ignoradas e desrespeitadas na nossa sociedade. Na Ioga, uma necessidade se define como qualquer coisa que nos ajuda a vivenciar a alegria e promover o nosso crescimento interior, ou seja, a nossa evolução.

Quanto ao chacra do desejo, o segundo chacra, este nos traz satisfação em abundância, e não apenas das necessidades básicas. A abundância jorra como a generosa Providência no Novo Testamento. Entretanto, conseguir qualquer coisinha que queremos é uma fantasia infantil. Os desejos são satisfeitos com base no que o Caminho Óctuplo do budismo chama de "concentração correta". Se desmembrarmos essa expressão, "concentração" refere-se a estar no presente, a viver no presente, e a palavra "correta" indica que se deve permanecer na consciência do darma – o fluxo da inteligência criativa que nos dá tudo que precisamos.

Idealmente, não haveria mais nada a fazer, mas isso só é verdade quando a nossa jornada chega à iluminação, onde o nosso estado constante é a consciência simples. Nesse meio-tempo, os nossos resultados podem ser melhorados se o querer estiver separado do necessitar. Ambos costumam se sobrepor, o que é natural. Quando dizemos "Preciso de férias", estamos também expressando algo que queremos. Mas se for para convencer alguém a fazer o que queremos, como em "Necessito realmente que você faça isso para mim", é bem provável que seja só o que quero, e não o que preciso de fato. É claro que há várias maneiras de precisar de um amigo, mas manipular é ultrapassar os limites. A inteligência criativa lida com a situação muito melhor do que a mente pensante jamais faria.

Isso deve ser experimentado por cada um de nós antes de se tornar a nossa verdade. O questionário a seguir ajudará você a perceber como se porta diante das necessidades que são apoiadas pelo segundo chacra.

Questionário

QUÃO BEM VOCÊ ESTÁ ATENDENDO ÀS SUAS NECESSIDADES?

Todos nós somos ajudados pela inteligência criativa. A única diferença diz respeito a quanta ajuda realmente estamos recebendo. Essa é uma questão importante. A consciência-alegria quer nos ajudar cem por cento. Quanto mais ficarmos na consciência simples, mais seremos ajudados.

Vejamos onde você está agora. Nos itens listados a seguir, duas perguntas serão feitas:

- **Quão importante é essa necessidade para você?**
  Responda em uma escala de 1 a 10, onde 1 = Nada importante e 10 = Muito importante.
- **Em que grau você atende às suas necessidades?**
  Responda *Pouco, Razoavelmente, Bem* e *Muito bem.*

Considere este questionário uma autoavaliação, e não um teste. Não existem respostas certas, porque as necessidades são muito pessoais.

1ª PARTE : NECESSIDADES VITAIS

Esta seção aborda as sete necessidades mais importantes que todos têm na vida.

1. Tenho necessidade de me sentir seguro e protegido.
   Quanto isso é importante para você, de 1 a 10? ____
   Em que grau você tem essa necessidade atendida?
   Pouco ☐ Razoavelmente ☐ Bem ☐ Muito bem ☐

2. Tenho necessidade de ser bem-sucedido e conquistar algo de que possa me orgulhar.
   Quanto isso é importante para você, de 1 a 10? ____
   Em que grau você tem essa necessidade atendida?
   Pouco ☐ Razoavelmente ☐ Bem ☐ Muito bem ☐

3. Tenho necessidade de ter uma família ou outra rede de apoio próxima.
   Quanto isso é importante para você, de 1 a 10? ____

Em que grau você tem essa necessidade atendida?
Pouco ☐ Razoavelmente ☐ Bem ☐ Muito bem ☐

4. Tenho necessidade de ser aceito e compreendido.
   Quanto isso é importante para você, de 1 a 10? ____
   Em que grau você tem essa necessidade atendida?
   Pouco ☐ Razoavelmente ☐ Bem ☐ Muito bem ☐

5. Tenho necessidade de uma válvula de escape criativa.
   Quanto isso é importante para você, de 1 a 10? ____
   Em que grau você tem essa necessidade atendida?
   Pouco ☐ Razoavelmente ☐ Bem ☐ Muito bem ☐

6. Tenho necessidade de algo maior do que eu mesmo em que acreditar – um sistema de valores mais elevado, uma fé ou uma tradição espiritual.
   Quanto isso é importante para você, de 1 a 10? ____
   Em que grau você tem essa necessidade atendida?
   Pouco ☐ Razoavelmente ☐ Bem ☐ Muito bem ☐

7. Tenho necessidade de estar em busca de uma consciência superior e de crescimento pessoal.
   Quanto isso é importante para você, de 1 a 10? ____
   Em que grau você tem essa necessidade atendida?
   Pouco ☐ Razoavelmente ☐ Bem ☐ Muito bem ☐

2ª PARTE: NECESSIDADES NO RELACIONAMENTO

Estas são necessidades que fazem parte de um relacionamento satisfatório. (Responda baseado em suas experiências, mesmo que não esteja se relacionando com ninguém agora.)

8. Tenho necessidade de sentir que meu parceiro me ama.
   Quanto isso é importante para você, de 1 a 10? ____
   Em que grau você tem essa necessidade atendida?
   Pouco ☐ Razoavelmente ☐ Bem ☐ Muito bem ☐

9. Tenho necessidade de me sentir seguro com meu parceiro.
   Quanto isso é importante para você, de 1 a 10? ____
   Em que grau você tem essa necessidade atendida?
   Pouco ☐ Razoavelmente ☐ Bem ☐ Muito bem ☐

10. Tenho necessidade de confiar no meu parceiro e saber que ele confia em mim.
    Quanto isso é importante para você, de 1 a 10? ____
    Em que grau você tem essa necessidade atendida?
    Pouco ☐ Razoavelmente ☐ Bem ☐ Muito bem ☐

11. Tenho necessidade de carinho e afeto.
    Quanto isso é importante para você, de 1 a 10? ____
    Em que grau você tem essa necessidade atendida?
    Pouco ☐ Razoavelmente ☐ Bem ☐ Muito bem ☐

12. Tenho necessidade de ter uma vida sexual satisfatória.
    Quanto isso é importante para você, de 1 a 10? ____
    Em que grau você tem essa necessidade atendida?
    Pouco ☐ Razoavelmente ☐ Bem ☐ Muito bem ☐

13. Tenho necessidade de respeitar meu/minha parceiro(a) e ser respeitado por ele/ela.
    Quanto isso é importante para você, de 1 a 10? ____
    Em que grau você tem essa necessidade atendida?
    Pouco ☐ Razoavelmente ☐ Bem ☐ Muito bem ☐

14. Tenho necessidade de ter contato físico íntimo.
    Quanto isso é importante para você, de 1 a 10? ____
    Em que grau você tem essa necessidade atendida?
    Pouco ☐ Razoavelmente ☐ Bem ☐ Muito bem ☐

15. Tenho necessidade de ter meu espaço sempre que preciso.
    Quanto isso é importante para você, de 1 a 10? ____
    Em que grau você tem essa necessidade atendida?
    Pouco ☐ Razoavelmente ☐ Bem ☐ Muito bem ☐

16. Tenho necessidade de liberdade para seguir o meu próprio caminho.
    Quanto isso é importante para você, de 1 a 10? ____
    Em que grau você tem essa necessidade atendida?
    Pouco ☐ Razoavelmente ☐ Bem ☐ Muito bem ☐

17. Tenho necessidade de filhos que sejam amados por mim e por meu parceiro.

Quanto isso é importante para você, de 1 a 10? ____
Em que grau você tem essa necessidade atendida?
Pouco ☐ Razoavelmente ☐ Bem ☐ Muito bem ☐

18. Tenho necessidade de que meu parceiro seja bem-sucedido.
    Quanto isso é importante para você, de 1 a 10? ____
    Em que grau você tem essa necessidade atendida?
    Pouco ☐ Razoavelmente ☐ Bem ☐ Muito bem ☐

19. Tenho necessidade de me orgulhar dos meus filhos.
    Quanto isso é importante para você, de 1 a 10? ____
    Em que grau você tem essa necessidade atendida?
    Pouco ☐ Razoavelmente ☐ Bem ☐ Muito bem ☐

20. Tenho necessidade de sentir que sou a pessoa mais importante na vida do meu parceiro.
    Quanto isso é importante para você, de 1 a 10? ____
    Em que grau você tem essa necessidade atendida?
    Pouco ☐ Razoavelmente ☐ Bem ☐ Muito bem ☐

AVALIE A SUA PONTUAÇÃO

Se as suas respostas foram na maioria fortemente positivas (**Muito bem**), você desfruta de um suporte muito bom para as suas necessidades. Está alinhado com o fluxo da inteligência criativa, mesmo que ainda não pense nesses termos. A sua vida diária é caracterizada por intenções claras, ausência de incertezas e pela capacidade de saber o que deve ser valorizado.

Isso não é a mesma coisa que dar muito valor às suas necessidades (7 a 10). Você se conhece bem o suficiente para dar uma classificação mais baixa para coisas que na sua opinião não têm muita importância. Mas ainda precisa dar mais espaço para a reflexão. Reveja as necessidades que considera menos importantes e pergunte a si mesmo se haveria algum aspecto da sua vida, como encontrar um escape criativo ou precisar de calor e afeto, que mereça ser olhado com mais cuidado.

Se a maioria das suas respostas está **na média (Razoavelmente ou Bem)**, suas necessidades estão sendo satisfeitas aqui e ali. É provável que você já tenha aberto mão de algumas, mas o problema é que as suas expectativas são baixas. É importante você sentir que merece mais e o melhor. Com essa intenção, dará passos, mesmo que pequenos, para obter mais da vida. Comece pelo que não oferece perigo, como fazer algo criativo. Se a avaliação das necessidades em seus relacionamentos for apenas moderada, sente-se com o seu parceiro/a sua parceira e mostre-lhe os seus resultados. Também ajuda muito se ele/ela fizer o teste, para que ambos avaliem o relacionamento a partir de uma base compartilhada.

Se a avaliação das suas respostas foi consistentemente **baixa (Pouco)**, as suas necessidades não estão sendo atendidas como deveriam. Os motivos para isso são muitos, como falta de autoconfiança, um

> relacionamento insatisfatório ou dificuldade para atender às necessidades básicas. É aconselhável que você converse com alguém que admire e em quem confie, para juntos examinarem em detalhes as suas respostas. Você precisa começar a se sentir mais apoiado na vida. Não é um caminho fácil, mas no nível da inteligência criativa você terá acesso ao apoio que existe dentro de você, com o qual pode contar. No momento, talvez isso não pareça muito real. Escolha uma ou duas necessidades mais bem avaliadas e proponha-se a melhorar essa avaliação ainda mais. O essencial é ir para um nível mais profundo de consciência, onde se encontram as respostas e as soluções.
>
> Neste momento talvez você esteja no nível das preocupações, da confusão e das dúvidas. O estado de consciência simples pode lhe dar um meio de escapar desse nível, a fim de encontrar calma e paz interior.

PRAZER OU ALEGRIA?

Como dissemos, o segundo chacra é a casa dos cinco sentidos. Nem é preciso dizer que os cinco sentidos nos dão prazer. Quem não quer ver a beleza das coisas, ouvir uma música maravilhosa, saborear uma comida deliciosa? O outro lado da moeda são os dedos em riste dos moralistas apontando para os exageros. Acrescente aí a religião, e a sensualidade passa a ser pecado (os sete pecados capitais, por exemplo, começam pela luxúria e pela gula, ambos pecados sensuais).

O homem moderno há muito deu as costas a moralismos fora de moda que condenavam atividades inocentes, como dançar, por ofenderem a Deus. Em vez delas, o prazer sensual causou outros problemas, como os excessos. Mas o que são os desejos e as dependências? São casos extremos em que os cinco sentidos estão desconectados da alegria. Em vez disso, o prazer é obrigado a fazer o que não deveria e acaba causando dor e sofrimento. Se alguém come mais do que deve, está pedindo que o prazeroso sabor da comida o conforte emocionalmente. Se bebe álcool e usa drogas para se ver livre do estresse e de aborrecimentos, está querendo que um produto químico substitua a solução dos problemas. Desejos e dependências têm duas coisas em comum. A primeira é a repetição. Beber uma taça de vinho leva a uma segunda taça, uma terceira e outras mais.

A repetição é sinal de que a comida, o álcool, as drogas e outros hábitos que causam dependência estão sendo usados como muletas psicológicas. A mente se liga nos choques repetidos de prazer para se insensibilizar, entorpecer e fugir de algo subjacente, que geralmente é a ansiedade. Mas essa é uma tática inútil, porque os retornos são decrescentes – isso é outra coisa que desejos e dependências têm em comum. O que começa com uma sensação de prazer vai se tornando menos eficaz, até que a obsessão tome conta. O hábito se retroalimenta sem proporcionar prazer, e a única coisa que a pessoa consegue comendo demais, bebendo em excesso ou se drogando é impedir que a dor aumente.

As pessoas abusam do sexo, das drogas e do álcool porque o acesso à alegria está bloqueado. Essa é a mensagem oculta do sistema de chacras. Várias verdades estão contidas na mensagem, descritas a seguir.

PROFUNDAS VERDADES SOBRE O DESEJO

- O que realmente desejamos é o sentimento de satisfação.
- A suprema satisfação é alegria, felicidade e êxtase.
- Já temos alegria na fonte.

- Quando temos um desejo, estamos tentando recapturar o que já temos dentro de nós.
- Expanda a sua consciência e a satisfação do desejo acontecerá naturalmente.

O acesso à alegria é tudo. A satisfação do desejo existe desde o início e permanece em todos os passos que o fazem se tornar realidade. Isso, pode-se afirmar, é o ganha-ganha definitivo. O *Bhagavad Gita* diz: "Execute a ação sem esperar pelos frutos dela". Há séculos esse axioma parece tremendamente desconcertante. Aparentemente, ele diz que devemos nos dedicar às nossas atividades diárias e seguir os nossos desejos, sem nos importarmos se eles nos levarão ao sucesso ou ao fracasso. Isso vai contra a índole da cultura ocidental, segundo a qual as pessoas só estão "no jogo para vencê-lo". Quem jogaria beisebol se ganhar fosse igual a perder? Quem pediria um aumento de salário e ficaria igualmente contente se ouvisse um "não"?

Mas essa é uma leitura errada da questão. Os sábios que escreveram o *Gita* se dirigiam a leitores que estavam experimentando a consciência simples como ponto de partida de todo desejo e toda ação. Se você já conhece a alegria, não precisará ter mais dela. Você seguirá com as suas atividades diárias e buscando a realização dos seus desejos, não para ganho pessoal, mas porque a inteligência criativa sabe que eles são necessários. Imagine duas mães com filhos recém-nascidos, uma delas vivendo na consciência simples, a outra, preocupada em saber como está o seu bebê. Ambas ainda cuidam dos filhos. Isso é uma ação necessária. O fato de estar na consciência simples não muda esse fato. Mas as duas vivem experiências diferentes. É muito melhor ser uma mãe alegre do que uma mãe que vive preocupada e com medo. Pôr a consciência em primeiro lugar revela o melhor caminho em qualquer situação.

Mas as sociedades escolhem outra coisa. Se a meta for o prazer, a recompensa será, no máximo, de curta duração. Precisamos aprender que a inteligência criativa já está trabalhando na nossa vida. Basta alinhar os nossos desejos com a sempre presente inteligência criativa.

O DARMA E OS RELACIONAMENTOS

Compartilhamos a nossa vida com quem está à nossa volta de várias maneiras. A nossa satisfação está entrelaçada com a satisfação da família, dos amigos e dos colegas de trabalho. Ou seja, viver tem a ver com relacionamentos. Então, como nutri-los para que a nossa vida seja apoiada pelo darma? Por mais que amemos as pessoas que nos são mais próximas, conflitos surgem. A pessoa *A* quer uma coisa, a pessoa *B* quer outra. Se o conflito acontecer no nível do ego, raramente a conclusão será satisfatória. Alguém sairá dele frustrado. É assim que os relacionamentos descambam em discussões inúteis, que não trazem um senso de satisfação aos envolvidos. Mas na inteligência criativa sempre há um caminho que satisfaz a ambas as partes. Seria ideal que todos soubessem disso, mas infelizmente não é o que acontece.

Entendendo como a inteligência criativa trabalha, sabemos quanto é importante sair do caminho. Fiquemos na consciência simples. Resultados que o ego não consegue alcançar são naturais para a inteligência criativa, que sempre opera no nível da solução, e não do problema.

Nas situações cotidianas, sair do caminho começa com desistir das fantasias do ego. O ego tem sonhos infantis e egoístas de conseguir o que quer o tempo todo, do jeito que for preciso. Mesmo evitando comportamentos egoístas extremos, estamos sob a influência dessas fantasias inúteis, em geral sem perceber. Nos relacionamentos que não vão bem – na família, entre amigos ou numa relação íntima –, é quase certo que um ou outro está agindo a partir de uma fantasia que o ego criou e a ela está desesperadamente apegado.

CINCO FANTASIAS QUE DESTROEM UM RELACIONAMENTO

Os seus desejos mais profundos – ser amado, aceito e compreendido – o levam a ter relacionamentos. Observe os relacionamentos na sua vida que vão bem. Um, ou mais de um, desses desejos profundos está sendo satisfeito. Existe um amigo a quem você pode dizer qualquer coisa sem ser julgado. Existe um parceiro amoroso disposto a perdoar. No plano dos chacras, dizemos que a inteligência criativa está fluindo.

Agora olhe para os relacionamentos que lhe causam frustração. Neles, o amor, a aceitação e a compreensão não fluem livremente. O ego está usando táticas que não trazem bons resultados, provocando frustrações e desentendimentos profundos. Por que insistimos em repetir comportamentos que claramente não funcionam, que provocam sofrimento mútuo? A resposta é: porque escolhemos fantasias em vez da realidade. Serei mais específico, para que você se olhe no espelho com mais facilidade.

FANTASIA 1: "VOCÊ TEM QUE ME OUVIR. MAS ME RECUSO A OUVIR VOCÊ".

Quando dois lados que se opõem param de ouvir um ao outro, o relacionamento chegou a um impasse. A comunicação cessou. Em seu lugar, rituais rígidos são encenados. Esses rituais consistem em repetir a mesma discussão muitas vezes, gritar para tentar ser ouvido e dar um gelo na outra pessoa com um desprezo rude ou com o silêncio.

FANTASIA 2: "TUDO FICARÁ BEM SE VOCÊ MUDAR. MAS EU COM CERTEZA NÃO PRECISO MUDAR".

Este é o típico disfarce da culpa. Quando você exige que o outro mude, está julgando a si mesmo sem realmente se expor ou verbalizar isso. O que alimenta essa fantasia é a ilusão de que o outro mudará se você puder culpá-lo o suficiente. Soma-se a ela uma hipócrita confiança de que você não precisa mudar, porque o outro não tem o direito de culpá-lo.

FANTASIA 3: "VOCÊ ESTÁ AQUI PARA ME FAZER FELIZ. DO CONTRÁRIO, NÃO CONSIGO ME RELACIONAR COM VOCÊ".

Esta fantasia é um resquício da infância. Crianças pequenas fazem beicinho e choram quando estão infelizes, e nesses momentos se recusam a se relacionar. Estão mergulhadas demais nos seus próprios sentimentos. Quando persiste na vida adulta, essa atitude se torna narcisista. Os outros existem para fazer a pessoa feliz e, caso não o façam, ela não se relacionará com eles. Na maior parte do tempo, ela está meramente usando-os.

FANTASIA 4: "SOU MELHOR QUE VOCÊ. POR ISSO, TENHO O DIREITO DE DIZER O QUE VOCÊ TEM QUE FAZER".

Grande parte dos desacordos sociais se deve ao complexo de superioridade mútuo. Veja na televisão os comentaristas que se opõem às suas posições políticas e ficará chocado (ou nem tanto) com o senso de superioridade deles em relação a você, principalmente se você acha que apenas o seu lado tem o direito de se sentir superior. Nos relacionamentos, em geral a mensagem é mais velada, mas quando duas pessoas insistem que estão certas, há um indício de sentimento de superioridade permeando a discussão.

FANTASIA 5: "EU MEREÇO VENCER, E QUANDO ISSO ACONTECER VOCÊ AFUNDARÁ DE UMA VEZ POR TODAS".

Isso é o equivalente emocional de um jogo de soma zero. Uma partida de futebol é um jogo desse tipo, porque só um lado pode ganhar. Mas as questões humanas são instáveis. Um dia estamos bem, no outro estamos mal. A crença de que conseguimos estar sempre bem é pura fantasia.

Se duas pessoas, duas facções ou dois países chegam a um impasse, quase sempre essas cinco fantasias entraram no jogo. Talvez não todas de uma

> só vez, e talvez nem todos sejam sinceros no que dizem, mas nada disso faz diferença. Cada fantasia se baseia em duas tendências subjacentes. A primeira tendência é fazer julgamentos, a segunda é o pensamento nós-contra-eles. Essas tendências não são inatas; é preciso aprendê-las. O que significa que podem ser desaprendidas. Isso abre caminho para a mudança.

MUDANÇA CRIATIVA

Quando você se olha no espelho e reconhece que as fantasias do ego não estão trabalhando a seu favor, pode começar a mudar a sua maneira de pensar e agir. Descarte atribuir a culpa do erro à outra pessoa. Ela não tem que mudar para fazer você feliz – a responsabilidade pela melhora de um relacionamento é de quem está motivado a fazer a mudança. A responsabilidade se transforma em alegria quando a sua motivação se afasta do ego para permitir que a inteligência criativa entregue o resultado que for melhor para você e para o outro. Olhemos mais de perto o que é sair do caminho.

Não importa qual seja o tipo de desacordo no relacionamento, a outra pessoa está instigando discussões, resistindo, criando obstáculos. Isso se resume a dizer "não". Mas você quer chegar ao "sim", que também é uma meta da inteligência criativa. Veja como chegar lá.

TRANSFORME "NÃO" EM "SIM"

- Desista de querer controlar, exigir e persuadir a outra pessoa.
- Sente-se num estado de calma racional. O outro também deve estar calmo e receptivo. Se não for o caso, adie as coisas até que os dois estejam num estado mental receptivo.
- Mostre respeito pelas opiniões do outro.
- Ouça mais e fale menos.
- Esteja preparado para entrar num acordo.
- Esqueça o pensamento nós-contra-eles.
- Busque opções em que os dois ganhem.
- Não demonstre raiva ou impaciência.
- Busque um lugar de não julgamento dentro de você.
- Não desista até que os dois estejam satisfeitos.

A ideia geral é: se alguém o está impedindo de conseguir o que quer, assuma a responsabilidade pelo seu próprio comportamento – é muito mais fácil do que tentar mudar o outro. Você se coloca na posição de deixar a inteligência criativa apresentar a solução, uma escolha que é sua e de mais ninguém.

Os princípios para se chegar ao "sim" são bem conhecidos nos círculos diplomáticos, mas ignorados na nossa vida cotidiana. Todos nós recaímos em táticas que jamais funcionam ou, quando parecem funcionar, deixam resíduos de ressentimento na outra pessoa. Em termos práticos, verifique se você está tendo algumas das atitudes que se seguem – elas impedem, em grau maior ou menor, que você consiga o que quer.

COMO FICAR PRESO AO "NÃO"

- Insistir em culpar e reclamar.
- Ignorar o ponto de vista do outro.

- Entrar em uma discussão estando zangado e aborrecido.
- Fazer do outro um inimigo.
- Falar das diferenças, em vez dos pontos de concordância.
- Querer vencer fazendo o outro perder.
- Enumerar as suas exigências e se recusar a voltar atrás.
- Afastar-se com raiva, sem que nada tenha sido resolvido.

As discussões entre casais ou entre países sempre apresentam esses comportamentos autodestrutivos, e mesmo assim recorremos a eles repetidas vezes, por exigência do ego. Ao enumerá-los à luz da razão, não temos nenhuma dificuldade em reconhecer como são improdutivos. Vale a pena reservar um tempo para refletir como essa lista se aplica à nossa última discussão ou à última vez que alguém nos impediu de conseguir o que queríamos. Conseguir o que se quer é um impulso natural, mas pelos meios errados é inútil e frustrante.

O desejo abre o caminho mais natural para qualquer objetivo, porque não há motivação mais poderosa do que querer muito alguma coisa. O segundo chacra nos estimula a obter cada vez mais alegria, e também a nos afastarmos de uma vida sem alegria. Do meu ponto de vista, a primeira motivação – obter cada vez mais alegria – funciona melhor, porque o desejo busca a alegria naturalmente. Começar por um lugar de sofrimento e frustrações com muita frequência é uma luta sem hora para terminar. O mais breve vislumbre da alegria nos mostra que ela existe, e então podemos pôr em movimento os nossos desejos para experimentar mais alegria, mais felicidade, mais entusiasmo. Quer melhor maneira de o desejo alcançar o seu verdadeiro propósito do que a satisfação absoluta?

ATIVE O CHACRA SACRAL

Esse chacra fortalece todos os aspectos da nossa sensualidade, mas especialmente a conexão entre o desejo e o nosso darma, que reforça os desejos que precisamos ter para evoluir e crescer interiormente. Algumas coisas se aplicam aos chacras em geral:

- Fique na consciência simples. Quando perceber que não está nela, volte a se centrar.
- Medite com o mantra Vam (p. 108).
- Medite com o pensamento centrado "Sou sensual" ou "Acolho o meu desejo" (p. 111).

Outros passos visam especificamente ativar o chacra sacral. Começando pelo estado de alegria, todo desejo já está pronto para ser satisfeito. Essa preparação requer uma mudança de atitude, porque, assim como estão as coisas, os desejos surgem da sensação de que algo está faltando.

As meditações para o segundo chacra nos mostram de que maneira experimentamos o desejo como o generoso extravasamento do "Eu me basto". Os desejos são uma expansão da abundância, e não uma reação de carência.

MEDITAÇÃO 1

Sente-se em um estado de calma, feche os olhos e respire profundamente algumas vezes até se sentir centrado. Então imagine um sonho extravagante que você gostaria de ver realizado. Pode ser ganhar na loteria, encontrar o par romântico perfeito, viajar de primeira classe em um luxuoso navio de cruzeiro... Solte a imaginação.

Agora visualize em detalhes todas as consequências da sua fantasia. Use também outros sentidos, se conseguir, como ouvir uma música bonita. Sinta a alegria que a sua fantasia traz. Deixe a alegria se expandir para o coração. Não force nada. Mesmo uma pequena alegria serve. Minutos depois, abra os olhos, respire fundo uma ou duas vezes e retome as suas atividades normais.

O propósito dessa meditação é mostrar que a sua consciência está onde a alegria acontece. Você não precisa de estímulos externos para se sentir gratificado. A alegria está acessível simplesmente por você desejá-la, usando a fantasia como um gatilho sutil.

MEDITAÇÃO 2

Esta é uma versão avançada da meditação anterior. Sente-se em um estado de calma, com os olhos fechados, e respire profundamente algumas vezes até se sentir centrado. Agora sorria interiormente. Não provoque o sorriso usando uma fantasia, mas simplesmente sorria porque deseja fazê-lo. Talvez seja mais fácil sorrir primeiro do lado de fora, depois seguir o impulso interior até o seu coração.

Deixe o sorriso perdurar alguns minutos. Se você se distrair, retome tranquilamente o sorriso. A meditação consiste em sentir realmente o sorriso interior. A qualquer momento abra os olhos, respire profundamente uma ou duas vezes e volte para as atividades do seu dia.

Essa meditação dá acesso direto à alegria, só pelo fato de você desejá-la. Faz muito bem praticá-la várias vezes ao dia. Você está treinando a mente para reconhecer que a alegria está à sua disposição. E com o tempo isso se tornará uma segunda natureza. Tendo iniciado a prática de se centrar, a qualquer momento em que sentir que a consciência simples se perdeu, sorria e permita que o sentimento de alegria inunde a sua consciência.

MEDITAÇÃO 3

Quando se deitar para dormir, reveja o seu dia. Feche os olhos e visualize cada evento significativo. Quando se lembrar de algo que foi positivo, deixe esse sentimento de satisfação perdurar. O evento não precisa ser uma vitória ou conquista importante. Pode ser uma palavra gentil, uma canção que você gostou de ouvir ou ver seus filhos brincando.

Seja qual for a imagem feliz que lhe vier à mente, deixe o sentimento de alegria em torno dela penetrá-la. Isso ajuda a treinar a mente a dar uma parada para apreciar o acesso dela à alegria.

Caso se lembre de algo desagradável ou de um fracasso, permita que esse sentimento negativo perdure, desde que não seja muito perturbador. Se perceber que está se sentindo mal de novo, abra os olhos e respire fundo algumas vezes. Mas se o evento causou uma pequena perturbação, preocupação ou tristeza, deixe o sentimento diminuir até desaparecer. Você pode até dizer para a lembrança perturbadora: "Você me ajudou. Agora não preciso mais de você". Soltar o ar lentamente pela boca também pode ajudá-lo a se livrar da lembrança. Em qualquer dos casos, você está pedindo ao sentimento negativo que saia de você.

Por fim, deite-se calmamente por alguns momentos e então retome o sentimento de felicidade sorrindo interiormente, como na meditação anterior. Essa meditação é mais avançada que as outras, porque você está pedindo para transformar sentimentos negativos em positivos. Entretanto, vale a pena saber praticá-la, porque, uma vez transformado, o sentimento negativo não ficará mais alojado na sua memória. Além disso, você terá mais confiança de que está num estado de abundância interior, não importa o que tenha lhe acontecido durante o dia.

O PRIMEIRO CHACRA
TOTALMENTE ATERRADO

O PRIMEIRO CHACRA

Localização: *Base da coluna vertebral*
Tema: *Conexão com a Terra*
Qualidades desejáveis: *Enraizamento*
Segurança, proteção
Inteireza

O primeiro chacra é a jornada da consciência-alegria rumo à sua realização com uma reviravolta surpreendente. A consciência-alegria não está mais confinada na mente e no corpo. Agora ela entra no mundo físico, abrangendo o lado de fora e tudo o que lá existe. Nós nos sentimos completamente à vontade onde quer que estejamos, porque estamos à vontade dentro de nós. Não há mais necessidade de temer o mundo como inerentemente arriscado, inseguro e potencialmente perigoso.

Esse é o nível de consciência que a maioria de nós recebe agradecida, pois os novos ciclos de 24 horas continuam reforçando a mensagem de que o mundo é, de fato, muito perigoso. Entretanto, há uma mudança de perspectiva significativa que a inteligência criativa pode tornar realidade para nós.

O primeiro chacra, localizado na base da coluna, costuma ser chamado de chacra raiz, porque os demais chacras superiores têm raízes aqui. Deve haver alicerces firmes antes que a vida possa sair voando. Tradicionalmente, o primeiro chacra representa o enraizamento na Terra, o mundo físico, mas estar aterrado tem várias outras implicações. Quando dizemos que alguém é enraizado, estamos descrevendo uma personalidade estável, com os pés no chão e confiável, não propensa a voos da fantasia.

A Ioga ensina que, quando mente e corpo estão em sincronia, estamos aterrados. Os sinais básicos de aterramento incluem os seguintes:

- Estar confortável no próprio corpo.
- Sentir-se fisicamente seguro.
- Não se deixar levar facilmente por influências externas.
- Sentir-se bem aqui e agora.
- Ter biorritmos estáveis (como ter apetite regular e dormir bem).
- Ser estável emocionalmente.

Essas não são qualidades que nos propomos a alcançar em uma agenda. São o resultado natural do equilíbrio no primeiro chacra. Visualize a consciência-alegria fluindo desde o chacra da coroa, passando pela coluna vertebral e então descendo para as pernas até entrar no chão. O equilíbrio é perfeito, dinâmico, quando não encontra nenhum obstáculo ao longo de todo o caminho.

O aterramento pode ser chamado de primeira etapa no jogo da vida, mas neste livro eu o trouxe para o final. O sistema de chacras nos mostra como viver a vida de cima para baixo porque o chacra da coroa é a nossa fonte. Mas a maioria das pessoas aborda a vida a partir do topo, dando prioridade às necessidades materiais. O mundo físico provê, mas também tira. Escassez de recursos, condições climáticas ruins, dificuldades econômicas e a luta pela sobrevivência são ameaças constantes em todo o planeta. Estar preparado para enfrentá-las cria ansiedade e medo de perder o que já se tem.

Nada poderia se distanciar mais dos ensinamentos da Ioga, que localiza todas as necessidades, entre elas as de sobrevivência, na consciência, em vez de no mundo físico. Alguém poderia objetar, dizendo que alimentação e moradia são básicos e não podem ser ignoradas. Pensando bem, contudo, nós temos comida, água e abrigo graças à nossa mente. Não vivemos no que chamamos de estado de natureza. Todos os animais e pássaros cuidam de seus filhotes até que estes estejam desenvolvidos para se virarem sozinhos. É natural que façam isso. Só o *Homo sapiens* estende o período de cuidados da prole até a adolescência e mais além porque o nosso desenvolvimento acontece na consciência. O sistema de chacras reconhece isso e expande a consciência para o seu pleno potencial.

A vida moderna perdeu grande parte dessa conexão com a Terra. Restaurar essa conexão pode resultar em experiências extraordinárias. Recebi provas disso de meu amigo Matthew, que me relatou uma das experiências mais transformadoras de sua vida.

Tive um passado difícil com um pai alcoólatra e uma mãe carinhosa, porém passiva. Eu diria que, no jargão atual, ela era uma facilitadora.

Comecei a meditar por saber que eu tinha muita raiva guardada dentro de mim e porque via muita gente feliz ao meu redor. Foi só por isso, eu não tinha ambições espirituais nem nada disso. De alguma maneira, tudo mudou. Fiquei mais calmo e sentia muito menos raiva. Quando entrei no estado de quietude mental, isso me atraiu. E experimentei o que pensava ser alegria.

Um dia, eu estava meditando, e em trinta segundos uma tranquila e nova alegria se tornou muito intensa. Isso é novo, pensei. Então fui invadido por uma onda de amor e senti claramente que era o amor da minha mãe. Isso veio de dentro de mim, não foi como me lembrar dela. Por ser homem, nunca me ocorreu que poderia me sentir maternal, mas assim foi: me senti caloroso e feminino. A experiência não durou mais que cinco minutos, mas realmente senti que alguma coisa mudou. Tive certeza de que a mãe divina é real, porque senti o seu toque.

Toda tradição espiritual descreve a mãe divina de alguma forma, mas dificilmente isso é reconhecido no mundo secular moderno. Os sete chacras representam lugares dentro de nós que precisamos explorar para saber quem somos realmente. O primeiro chacra nos diz que somos filhos da Terra, e é agradável saber disso – ou deveria ser. Um dos aspectos mais perigosos da vida moderna é explorar o planeta sem cuidar dele. Uma entidade vital, conhecida como Mãe Natureza, perdeu a sua qualidade maternal. Isso é um abandono cruel de milhares de anos de tradição centrada na espiritualidade voltada para a natureza como fonte de abundância. Portanto, reconectar-se com o planeta implica muito mais do que se poderia imaginar.

QUESTIONÁRIO

ATÉ QUE PONTO VOCÊ ESTÁ ATERRADO?

Quando estamos conectados com a Terra, a nossa natureza física é uma fonte de alegria. A maioria das pessoas, no entanto, tem a experiência oposta, julgando o próprio corpo, temendo desastres naturais e acreditando que micro-organismos – as formas de vida básicas no planeta – são todos "germes" que causam doenças. Outros simplesmente não se sentem à vontade com a fisicalidade de seus corpos. Para saber em que grau você está aterrado, responda às perguntas a seguir.

1. Você tem uma boa imagem corporal?
    Sim ☐ Não ☐

2. Você gosta de ser tocado fisicamente?
    Sim ☐ Não ☐

3. Você pega no sono com facilidade e dorme bem a noite toda?
    Sim ☐ Não ☐

4. Você está feliz com a sua idade?
    Sim ☐ Não ☐

5. Você tem uma atitude positiva em relação ao sexo?
    Sim ☐ Não ☐

6. Você gosta de estar em contato com a natureza?
   Sim ☐ Não ☐

7. Você tem facilidade de se concentrar na sua mente sempre que quiser?
   Sim ☐ Não ☐

8. Você tem períodos longos de atenção?
   Sim ☐ Não ☐

9. Você se sente livre de preocupações com a sua saúde no futuro?
   Sim ☐ Não ☐

10. Você gosta de atividades físicas?
    Sim ☐ Não ☐

Se você respondeu "Não" mais de quatro vezes, pode não estar enraizado de maneira equilibrada. Não o culpo nem quero assustá-lo. A vida moderna é cada vez mais sedentária e mental no mundo ocidental. A oportunidade de praticar atividades físicas é limitada para milhões de trabalhadores, e as distrações que nos mantêm no sofá ou diante do computador crescem a cada dia.

Existem muitas escolhas relativas a estilo de vida que podem fazer a diferença, muito ou pouco, para reconectar você por meio do fortalecimento do primeiro chacra. Algumas já são bem conhecidas, outras talvez sejam novidade para você.

O primeiro chacra: Totalmente aterrado

- Certifique-se de ter boas noites de sono, ou seja, de oito a nove horas contínuas e ininterruptas.
- Permaneça centrado na consciência simples. Quando notar que não está centrado, pare alguns minutos e volte a se centrar.
- Crie o hábito diário de praticar uma meditação de respiração simples, que consiste em sentar-se, fechar os olhos e tranquilamente prestar atenção na respiração por cinco a dez minutos.
- Se você passa muito tempo sentado no trabalho ou na frente do computador, levante-se a cada hora, alongue-se e ande por alguns minutos.
- Encontre meios agradáveis de energizar o corpo, sem transformar exercícios em tarefa.
- Se começar a ficar inquieto, agitado, distraído ou preocupado, corte esse sentimento pela raiz. Não espere; retome o estado de consciência calmo e centrado assim que puder.
- Evite condições que desequilibrem o funcionamento do sistema nervoso involuntário. Elas incluem multitarefas, ligações telefônicas que causam interrupções frequentes, barulho muito alto, gente demais pedindo a sua atenção, um clima tenso no ambiente. Analise com cuidado a sua situação imediata em casa e no trabalho e procure melhorar muitas dessas condições.
- Tenha contato com a natureza em caminhadas relaxadas e aprecie a sua beleza e tranquilidade.

"REALIDADE CERTA"

É essencial estar fisicamente aterrado, mas o primeiro chacra tem mais a dizer. Ele traz a espiritualidade literalmente para a Terra. Em outras palavras, a consciência superior penetra na realidade física.

O que está em jogo é a chamada "realidade certa". A prova de fogo é se os nossos pensamentos, sentimentos, sensações, desejos e intenções podem alterar a realidade física. No mundo moderno, quase todos – com exceção dos religiosos devotos, que atribuem a Deus o supremo poder – admitem que o contra-argumento é correto. O mundo físico é a "realidade certa" por definição porque, da infância em diante, poucos de nós ouvem o argumento em favor da consciência.

A defesa em favor da mente sobre a matéria é, de fato, muito forte. Ela nos atinge a cada pensamento que temos. Para pensar uma frase como "A praia tem coqueiros", as palavras precisam criar uma atividade cerebral que produza moléculas especializadas, os neurotransmissores, que não têm exatamente o padrão necessário até que o pensamento ocorra. Suponha que você visualize esses coqueiros na praia, veja suas palmas balançando ao vento ou ouça as ondas quebrando na praia. Nesse caso, cada um dos processos é conduzido pela mente, com o cérebro seguindo suas instruções para produzir moléculas específicas para a tarefa.

A mente sobre a matéria pode ser expandida a níveis extraordinários. Em 2019, o mundo se surpreendeu com a proeza de um monge budista tibetano de Taiwan, cuja consciência continuou a controlar seu corpo depois que ele morreu. Vale a pena citar na íntegra a reportagem do jornal *Times of India* sobre o caso.

> Um sábio budista tibetano de Taiwan entrou no raro estado espiritual meditativo de "thukdam" depois de ser declarado clinicamente morto no dia 14 de julho. O thukdam é um fenômeno budista no qual a consciência percebida de um mestre permanece no corpo, apesar da morte física, segundo informou a Administração Tibetana Central (ATC).

O primeiro chacra: Totalmente aterrado

Embora a pessoa esteja clinicamente morta, o seu corpo não dá sinais de deterioração e permanece intacto por dias ou semanas sem preservação. Esse fenômeno começou a ser estudado cientificamente há alguns anos, por iniciativa do líder espiritual do Tibete, o dalai-lama. De acordo com a ATC, depois da sua morte clínica, em 14 de julho, os restos mortais do sábio budista tibetano Geshe Gyatso foram devolvidos à sua residência, informou em um post o escritório da ATC em Taiwan. Na ocasião, o verão estava em seu auge, e mesmo assim nada foi detectado na observação dos restos mortais. A equipe do escritório do Tibete examinou o corpo no quinto dia, para determinar se havia sinais de deterioração e decomposição. Ele também foi examinado por médicos, que se mostraram surpresos diante do fenômeno.

A natureza incorruptível do corpo de um santo após a morte é bem documentada no catolicismo romano. Mesmo assim, coube às tradições orientais criar uma meditação que permite à consciência da pessoa alcançar tais poderes, não pela graça de Deus, mas pela prática regular. No caso taiwanês, o dalai-lama ordenou imediatamente que observadores científicos neutros fossem chamados para verificar o fenômeno, o que de fato aconteceu. A reportagem prossegue:

Em 14 de julho, o fisiologista [Yuan Tseh Lee] e seus assistentes da Academia Sinica, centro de pesquisas de Taiwan, chegaram para conduzir o primeiro exame forense no monge [...] que revelou pressão arterial do corpo de 86, bastante próxima de um ser humano vivo. A elasticidade da pele, o estado aparentemente intacto dos órgãos internos, o brilho facial e a temperatura também foram examinados.

Um exame médico também apontou atividade cerebral significativa. Sobre essa descoberta, céticos poderiam argumentar que o monge não estaria realmente morto. Mas a morte cerebral começa a ocorrer três minutos após o coração parar de bater, e, no caso, vários dias tinham se passado sem atividade cardíaca.

Na tradição iogue, esse acontecimento não seria considerado um milagre, mas um exemplo de *siddhis,* o poder da consciência de se expandir por regiões do corpo que chamaríamos de supernaturais. Há fotos que provam que o *siddhi* taiwanês era real. Mas faltam, nos *siddhis,* evidências similares de bilocação, isto é, estar em dois lugares ao mesmo tempo (isso é mais comum entre santos católicos, e às vezes mencionado por pessoas que dizem sentir o perfume de flores em lugares distantes); de viver décadas ou mesmo séculos além do período normal de vida humana (a China tem uma longa tradição desses Imortais, como são conhecidos); ou de levitação (há centenas de registros anedóticos nas tradições indiana e católica).

Um *siddhi* é a prova de que a consciência permeia a matéria, a começar pelo corpo humano. O domínio da consciência não é "aqui dentro" nem "lá fora", mas em ambos. Mas nem isso vai muito longe. A consciência não tem localização. Ela é adimensional, uma vez que não pode ser medida em metros e centímetros, quilos e gramas, horas e minutos, aqui ou lá. Sei que é difícil entender como é estar em lugar nenhum e em toda parte ao mesmo tempo. Uma abordagem que atualmente vem ganhando popularidade entre os físicos é ver o universo como um todo consciente. Isso está a uma grande distância da rígida afirmação segundo a qual o universo é inteiramente físico e aleatório.

Mas os físicos têm se encolhido nos cantos quando o assunto é consciência. Ninguém pode provar, mesmo remotamente, que qualquer combinação de átomos e moléculas possa pensar, embora nós, seres humanos, obviamente possamos. (Pensamos também sobre pensar, o que parece ser uma capacidade exclusiva da nossa espécie.) Diante da compreensão de que os processos físicos não respondem pela emergência da mente, tornou-se mais fácil concluir que uma espécie de semente de consciência, uma protoconsciência, fazia parte da criação desde o início, como a força da gravidade.

O CORPO DA ALEGRIA

Mas não estamos interessados em questões cósmicas neste livro. Citei o universo consciente só para mostrar que a ciência moderna começa a concordar com a Ioga: a consciência é básica. A Ioga dá um passo à frente quando ensina que a consciência é a verdadeira realidade. É notável que seja somente um passo. A maioria das pessoas, incluindo-se aí 99 por cento dos cientistas, tem uma imagem mental da vida na Terra começando por primitivos organismos unicelulares. Isso remonta a bilhares de anos antes de emergirem organismos multicelulares, e depois outros bilhares de anos para se chegar à época dos dinossauros.

Mas a mente está centenas de anos à frente. Se partimos do princípio de que só os seres humanos são conscientes, a nossa existência só começou 1 milhão ou 2 milhões de anos atrás. Coloquemos isso numa escala: se medirmos a idade da Terra como um único dia de 24 horas que começa à meia-noite, a vida primitiva aparecerá às seis da manhã, os organismos multicelulares por volta do meio-dia, e os nossos ancestrais hominídeos, vinte segundos antes que o dia termine. Entretanto, esse cálculo não quer dizer nada se a consciência se incorporou na criação. Não teria existido nenhum período de tempo, por mais antigo que seja, *sem* consciência.

A consciência não só estaria sempre presente, como impregnaria átomos e moléculas. Então não se tem que determinar quando ou onde átomos e moléculas aprenderam a pensar. O pensamento está acontecendo onde quer que se olhe, mas não é o pensar humano em palavras e conceitos. É a inteligência criativa. O fluxo da inteligência criativa se torna exatamente o que o darwinismo chama de evolução, a grande diferença é que consciência evolui ao mesmo tempo que as características físicas. (Um darwinista autêntico, apresso-me a acrescentar, insiste nas características físicas. A evolução da consciência ainda não encontrou um novo Darwin para incluí-la nessa equação. Até agora, só a Ioga fez isso.)

Se os átomos e as moléculas do nosso corpo são partes do fluxo da inteligência criativa, então o mesmo se dá com todas as células. Quando a ciência médica, encantada com a atividade inteligente do sistema imunológico, começou a chamar esse sistema de "cérebro flutuante", uma porta se abriu para enxergar inteligência nas células que não estavam confinadas no espaço fechado do crânio. Já vimos como o corpo manifesta a inteligência criativa, mas há uma conclusão ainda mais importante, que é a seguinte: se o nosso corpo expressa a inteligência criativa, nós habitamos um corpo de alegria.

Em momentos de grande felicidade e satisfação, todos nós sentimos alguma reação física, como um formigamento, uma leveza, uma energia renovada. Saltitamos e dançamos de felicidade porque o corpo quer dar vazão a seu fluxo de alegria. Mas a Ioga mostraria o monge tibetano cujo corpo sobreviveu à morte como o melhor exemplo de um corpo de alegria. Foi a consciência-alegria no corpo dele que o preservou intacto após a morte, pela simples razão de que, na vida, a consciência mantém intacto o corpo de todos nós.

Na tradição espiritual indiana, o corpo da alegria tem nome: *Anandamaya Kosha,* onde *Ananda* é "alegria" e *Kosha* é "corpo". Não é preciso entrar em detalhes, mas é interessante saber que existe um sistema de Koshas que desce do corpo da alegria para o corpo do pensamento, das emoções e, por fim, para o corpo físico. É uma jornada muito similar à dos sete chacras, naquilo que se inicia como pura consciência-alegria e cujo ponto final se dá na materialidade do corpo físico.

Arrisquei-me a levar essa discussão para muito além da vida diária. Se você chegou até aqui, está à beira de um surpreendente "Aha!" Você vai perceber que a sua consciência e tudo que está à sua volta são uma coisa só. Todo o planeta é um corpo da alegria. Não há separação entre o fluxo de inteligência criativa nos átomos e moléculas do seu corpo e o fluxo de inteligência criativa nas nuvens, nas árvores, nas amebas, nos chimpanzés e nas estrelas. Você não tem uma mente rodeada pelo mundo físico, onde impera a matéria sem mente. A consciência é a cola invisível que mantém a criação unida em todos os níveis. Esse "Aha!" tem uma enorme importância na vida diária. Por exemplo:

- Os seus pensamentos e desejos estão conectados com o mundo "lá fora".
- Através dessa conexão, você cria os eventos ao seu redor.
- Se a sua intenção estiver perto da fonte da consciência-alegria, ela se tornará realidade.
- Na fonte, a sua consciência é exatamente igual à consciência cósmica.

A Ioga ensina que existe uma poderosa conexão entre cada um de nós e o universo, que transcende o âmbito individual do "eu". Ao fortalecer o primeiro chacra, começamos a habitar um corpo de alegria que se estende em todas as direções. Vejamos mais profundamente como isso de fato funciona.

A CONEXÃO *SHAKTI*

A nossa consciência cósmica começa nas nossas experiências diárias e se estende para novos territórios. O simples fato de que podemos erguer o braço por termos um desejo que viaja através do sistema nervoso central para os músculos do braço é prova suficiente de que a conexão corpo-mente é real. Há também uma experiência ocasional de sincronicidade quando pensamos em algo e logo em seguida esse algo se manifesta. O nome de um amigo nos vem à mente e ele nos manda uma mensagem um minuto depois. Pensamos em uma palavra qualquer e na sequência ouvimos alguém dizê-la. (Um amigo me deu um exemplo de sincronicidade quando estava na pós-graduação. Indo de ônibus para um seminário, a palavra "práxis" lhe veio à mente. Não era uma palavra que ele costumava usar, embora conhecesse um pouco de grego e soubesse que ela se referia à prática de fazer alguma coisa. Depois que ele chegou à classe, o professor entrou e, antes de o seminário começar, escreveu "práxis" no quadro-negro, e então virou-se para a classe e anunciou que esse era o tema do seminário daquele dia.)

Sincronicidade é definida como uma coincidência significativa, embora não tenha uma explicação científica. Poderíamos explicar que o amigo nos enviou aquela mensagem porque um de nós era telepata. Talvez o meu amigo que viajava naquele ônibus também fosse. A questão é como a mente de uma pessoa se conecta com o mundo exterior. Na Ioga, a explicação é uma força chamada *Shakti*, palavra em sânscrito que tem inúmeras conotações: energia, habilidade, força, esforço, poder e capacidade. Se temos bastante Shakti, a nossa conexão com o mundo é forte; se não temos Shakti, estamos em algum ponto entre o desamparo e uma vida de lutas e obstáculos.

Shakti se aplica tanto à mente quanto ao corpo. É preciso ter Shakti para erguer um grande peso e também para multiplicar mentalmente 43 vezes 89. Mas a Shakti a que nos referimos neste livro é inteligência e criatividade. Seus poderes se revelam em toda parte, do *big bang* à nossa próxima respiração. Shakti é cósmica. Na mitologia indiana, Shakti é a consorte feminina de Shiva, formando com ele as duas faces da criação – Shiva governa o reino invisível de todas as possibilidades. Ao mesmo tempo, Shakti traz as possibilidades para o mundo físico. Sua dança é a dança da criação.

Quando Shakti se torna pessoal, nosso corpo funciona como deve ser, em perfeita correlação entre todas as células. Experimentamos o equilíbrio, a saúde e o bem-estar que nos foram dados. Se algo começa a se desequilibrar, a saúde piora e o bem-estar desaparece, é sinal de que Shakti está debilitada. Não é preciso magia para restaurá-la. Basta a consciência simples. Estando centrados, calmos e serenos, voltamos a dar a Shakti mais um canal aberto. É por isso que, de acordo com a Ioga, a meditação faz bem ao corpo. Os seus efeitos benéficos na pressão arterial, nos batimentos cardíacos, nas reações imunológicas e em outros processos físicos se dão porque ela nos põe na consciência simples. (Não estou propondo uma panaceia. As desordens mais comuns do nosso estilo de vida no mundo moderno começam anos, e até mesmo décadas, antes de os sintomas aparecerem. Essas causas têm raízes profundas, e em muitos casos a meditação pouco pode fazer. Mas isso não compromete a eficácia que ela comprovadamente tem na mente e no corpo.)

Então, todo pensamento tem Shakti, o que significa que pensar envia ondas de energia para toda parte na criação. Estamos nos comunicando com o mundo físico através da Shakti que possuímos. Às vezes isso acontece literalmente – do nada, surge uma pessoa extraordinária que se torna um Jesus, um Buda, um Napoleão ou um Einstein, porque uma força incontrolável os empurrou para a frente. Mas Shakti não é uma força do destino, nem é como haver mais eletricidade em uma rede elétrica. Shakti existe para nos trazer tudo o que precisamos – a mesma meta que sempre tem a consciência-alegria.

No que tange à Ioga, tudo na nossa vida deve ser síncrono. Se pensamos em alguém e essa pessoa nos manda uma mensagem, isso deve ser um pequeno passo que nos beneficia. Se encontramos um trabalho que queremos, nós devemos consegui-lo se ele for o certo para a nossa evolução pessoal. É aqui que o pensamento convencional falha. Você já deve ter ouvido alguém dizer: "Graças a Deus minhas preces não foram atendidas". Há inúmeras coisas que acreditamos serem boas para nós, mas acabam se tornando ruins, e poder evitá-las é uma bênção.

O espaço entre as experiências se fecha quando o que queremos que aconteça é exatamente o que *deve* acontecer. Como chegamos aí? Há momentos em que sentimos que tudo segue como queremos, nada nos pode parar, e o mundo é maravilhoso. Estamos alinhados com a inteligência criativa. Mas outras vezes estamos fora do normal e passamos por momentos difíceis. O que faz a diferença não é uma força externa, o destino ou o acaso. O fator determinante é a nossa conexão, ou o nosso alinhamento, com Shakti.

Juntamente com meu colega e brilhante estudioso da consciência Anoop Kumar, chegamos aos três estágios que nos dizem quão forte está a nossa conexão com Shakti. Para simplificar, chamaremos esses estágios de Mente 1, 2 e 3.

Mente 1: Vemos a vida como indivíduos separados. O principal indicador da Mente 1 é o senso de estar localizado no corpo. Por estarmos limitados pelo corpo, a Mente 1 detecta o mundo físico como algo separado. Vemos a nós mesmos da mesma maneira que vemos o mundo. Se nos localizamos no corpo, vemos um mundo de coisas isoladas que não somos nós. As outras pessoas também vivem em seu próprio corpo e têm o seu próprio senso de separação. A Mente 1 é um terreno fértil para o ego. "Eu, mim e meu" é o que mais importa. Isso faz todo o sentido, porque a nossa programação como pessoas separadas diz respeito a experiências de prazer e dor sentidas no nosso corpo. Até um estado mental como a ansiedade tem suas raízes no corpo – tudo o que sentimos são meras sensações de estarmos "aqui dentro". A Mente 1 está dominada pelo sim ou não a todas as experiências que encontramos pelo caminho.

A Mente 1 é totalmente natural e adequada ao mundo secular moderno. Ela está refletida no foco da ciência em todas as coisas físicas, dos micróbios e partículas subatômicas ao *big bang* e o universo. Um livro muito famoso de 1970, *Our Bodies, Ourselves,* se aplica a todos nós na Mente 1. A única Shakti que temos está dentro do nosso corpo, assim como a nossa única identidade também está. Essa Shakti é muito poderosa – ela mantém unidas todas as células –, mas também é limitada. O nosso estado de consciência não muda nada no mundo exterior.

Mente 2: A Mente 2 está centrada na unidade mente-corpo. Não precisamos nos ver confinados em um pacote físico de carne e ossos. Na verdade, o *mindset* pode ser ligado na cabeça. Em lugar do isolamento, há uma conexão; no lugar das coisas, há um processo; no lugar dos objetos fixos, há um fluxo contínuo. Relaxamos no fluxo da experiência, em vez de fatiarmos a vida em partes que devem ser julgadas, analisadas, aceitas ou rejeitadas.

A Mente 2 nos permite ver a nós mesmos com mais clareza, porque a conexão mente-corpo é uma unidade única. Pensamentos e sentimentos causam efeitos em todas as células. Podemos mudar todo o sistema através de uma intenção na consciência. A Mente 2 é mais sutil que a Mente 1 – nós mudamos mais profundamente quem realmente somos, e o nosso estado de consciência é só o que importa. Somos aqueles que experimentam, observam e conhecem.

A Mente 2 começa a surgir quando as pessoas meditam ou praticam ioga, quando encontram o acesso para a mente silenciosa que está por baixo da mente ativa e inquieta. Com essa descoberta vem também uma maneira de enxergar além da busca infrutífera do ego pelo prazer, poder e sucesso "perfeitos". A Mente 2 se estabelece como uma visão mais profunda do eu e da vida que foi assimilada em todas as experiências. Tão importante quanto isso é compreender que o que aconteceu conosco – seja bom ou ruim – se deveu ao nosso estado de consciência. Uma vida aterrada na consciência de si mesmo é muito melhor do que ter raízes em humores, queixas, desejos, preconceitos e crenças estabelecidas. A nossa conexão com Shakti está em transição, não mais confinada no corpo, mas ainda não vigorosa no mundo exterior.

Mente 3: A Mente 3 expande a consciência além de todas as fronteiras criadas pela mente e muda radicalmente o significado da palavra "eu". Expandir a consciência nos coloca em um campo infinito de inteligência criativa, onde tudo existe como possibilidades que emergem pela força de Shakti. Isso não é meramente uma visão clara da nossa vida, mas a própria clareza, porque não existe nada, nenhum processo para obstruir a nossa visão. Não existem fronteiras. Não existe passado nem futuro. A visão mais clara que se pode ter está aqui e agora.

Quando não existem fronteiras para limitar a nossa visão, estamos despertos, o que nos permite enxergar as coisas sem nenhum filtro. Não somos mais cativos do nosso passado, estamos livres, portanto, e por isso a Mente 3 é conhecida há muitos séculos como libertação. Não existem mais os "grilhões forjados pela mente", como disse William Blake. Podemos confiar em Shakti para nos sustentar espontaneamente, da mesma maneira que as nossas células já fazem.

A Mente 3 está aberta a todos, mas há um grande obstáculo que ainda precisa ser vencido: somos convencidos pelas lentes através das quais enxergamos as coisas. Cada *mindset* se acha real e completo. Nós nos identificamos com as coisas na Mente 1, a mais importante delas é que estamos no corpo. Na Mente 2 nos identificamos com o nosso campo da consciência que nos traz experiências e sensações boas e ruins.

Por precisar de uma jornada interior para ser alcançada, a Mente 3 não está onde a grande maioria da humanidade se encontra, embora toda experiência de alegria, compaixão, amor, beleza, paz e consciência de si deixe o ego de lado, e por um momento sabemos que estar desperto é algo natural e altamente desejável. Ultrapassamos o "eu" em um vislumbre simples e natural de quem realmente somos. Somos o próprio campo da consciência, ilimitados e livres. Toda experiência possível tem sua origem aqui, antes que os filtros do ego, da sociedade, da família, da escola e das lembranças dolorosas anuviem a nossa visão.

A Mente 3 é a liberdade que alcançamos quando compreendemos que éramos livres o tempo todo. Remova toda a tralha e a liberdade estará lá. As Mentes 1 e 2 são criações, enquanto a Mente 3 é incriada. A dança de Shakti é eterna, e quando nos juntamos a ela é inevitável sentir que finalmente voltamos para casa. "Eu me basto" é o nosso lar de agora em diante.

O primeiro chacra: Totalmente aterrado

ATIVE O CHACRA RAIZ

Esse chacra fortalece todos os aspectos de estar aterrado, tanto física quanto psicologicamente. Algumas coisas que podem ser feitas se aplicam aos chacras em geral:

- Fique na consciência simples. Quando perceber que não está nela, volte a se centrar.
- Medite com o mantra Lam (p. 108).
- Medite com o pensamento centrado "Sou a minha segurança" ou "Estou totalmente enraizado" (p. 111).

Outros passos visam mais especificamente ativar o primeiro chacra. Nós cobrimos a prática de se centrar, que é básica para se sentir à vontade em seu corpo. O estresse e o sofrimento nos afastam do estado aterrado. O exercício 1 ajuda nesse sentido.

EXERCÍCIO 1

Sente-se tranquilamente, com os pés apoiados no chão e as costas retas. Respire até o peito se sentir confortavelmente cheio. Quando soltar o ar, visualize um ponto de luz branca descendo pela sua coluna vertebral.

Veja a luz se dividir embaixo da coluna, descer por cada perna, pelos pés e penetrar no chão.

Repita de cinco a dez vezes. Não precisa repetir a cada respiração, só quando estiver pronto. O efeito de aterramento é melhor com as mãos sobrepostas no colo e os ombros abaixados. Você está aterrando a sua energia na Terra, fonte da vida e de pertencimento ao mundo físico.

EXERCÍCIO 2

Num dia ensolarado e quente, encontre um gramado, de preferência em um ponto tranquilo de um parque ou no seu quintal. Deite-se de costas, de olhos fechados. Separe os pés e deixe os braços ao longo do corpo. Certifique-se de que essa posição é confortável para você.

Sinta o peso do corpo sendo atraído para a Terra. Imagine o corpo tão pesado que não haja nenhuma distância entre você e o chão.

Quando tiver essa sensação, respire profunda e confortavelmente. A cada inspiração, absorva a energia da Terra entrando através do chão e preenchendo o seu corpo. Isso pode ser sentido como uma cálida sensação ou você pode visualizar uma luz dourada que preenche o seu corpo.

A cada expiração, simplesmente relaxe e permita que a luz dourada e o calor penetrem.

Repita por cinco a vinte minutos, ou o que for mais confortável para você.

EPÍLOGO

NOSSO FUTURO ESPIRITUAL JUNTOS

Os temas deste livro – Ioga, abundância e inteligência criativa – se desdobram nestas páginas. Mas por trás desses cenários algo mais se revelou. Comecei a escrever quando a pandemia ainda não tinha se espalhado pelo mundo e o livro foi concluído depois que um *lockdown* durou mais tempo do que se poderia imaginar.

É natural que em tempos difíceis as pessoas reflitam sobre Deus como uma fonte de consolo e esperança – a nossa necessidade de apoio espiritual é premente em épocas de crise. Isso é um fato, embora americanos e europeus há décadas se envolvam menos em denominações organizadas. Como um casaco grosso que fica guardado na primavera, muitos deixarão a religião de lado quando a crise passar. Mas a necessidade da espiritualidade não passará como as estações do ano. Suas raízes vão mais fundo do que a necessidade de consolo e de esperança. *Sabedoria* é uma palavra que está sujeita a ceticismo e desprezo. Até os que se dizem "espiritualizados" costumam pensar muito mais em assuntos como autoestima e amor.

A sabedoria tem uma importância fundamental. Dá respostas a por que existimos e qual é o nosso propósito. Na Ioga, a sabedoria oferece uma visão da própria consciência, interligando todas as idades e circunstâncias. Ela vai ao cerne da realidade. A busca da realidade é o que une um impulso comum a todos, que é sentir a totalidade. Os que realmente param para ouvir a voz silenciosa do eu verdadeiro são afortunados em qualquer idade.

Mas ninguém jamais é abandonado pelo espírito, esteja alegre ou desesperado. Rumi diz isso claramente em um bonito poema.

Ciscos de poeira dançando sob a luz
É também a nossa dança.
Não ouvimos a música interior –
Não importa.
A dança continua, e na alegria do sol
Deus se esconde.

Essa é uma expressão da eterna esperança. Embora o espírito não abandone ninguém, o caminho para a maturidade e a espiritualidade perene, para a própria sabedoria, começa quando ouvimos a música interior, como diz Rumi, ou a atração magnética de Si Mesmo, como diz a Ioga.

Neste momento, penso que a busca por sabedoria é mais importante que a busca por Deus. Desde que Aldous Huxley criou a expressão "filosofia perene", buscadores no Ocidente compreenderam que o sectarismo é muito limitado e que as religiões são ortodoxas demais para abrigar o imenso corpo de sabedoria acumulada ao longo dos tempos. O cenário espiritual que nos cerca é uma versão atualizada da filosofia perene. Provoca um sorriso em quem supõe ser possível modernizar o transcendental. De fato, é um estratagema, o mesmo que se repete de geração em geração. Temos que convencer as pessoas de que a consciência superior existe. Falhe nisso e você estará falando com as paredes.

Para muitas pessoas espiritualizadas, restam poucas dúvidas de que a religião organizada está a serviço de forças sociais reacionárias e oferece uma versão dogmática de Deus. Mas é ainda mais deplorável ignorar o anseio pela espiritualidade. O atual cenário espiritual talvez não preencha esse vácuo como deveria, mas é possível prever o futuro da espiritualidade em comparação ao que acontece hoje em dia.

- As pessoas se sentem livres para se expressar fora das doutrinas de fés organizadas.
- Estão abertas a experiências que gerações anteriores negaram ou condenaram, ou foram radicalmente negadas pelos arquimaterialistas.
- Estão conscientes de que a espiritualidade é um extenso rio que remonta a muitos séculos.
- Sentem-se partes dessa magnífica busca da humanidade.
- Acreditam que a evolução da consciência é real e que vale a pena buscá-la.
- Acreditam que podem encontrar uma visão nobre e começar a viver de acordo com ela.

Tudo isso representa a sabedoria como experiência pessoal, mais do que meras palavras em um livro, por mais sagrado que seja. A espiritualidade atual envolve um grande número de pessoas que provaram a transcendência nos momentos em que o véu do ego-eu caiu e a realidade foi vista sem a interferência do ego, da memória e de velhos condicionamentos.

Lembro que na minha infância as mulheres se reuniam na casa da minha avó em Delhi e, acompanhadas por um pequeno harmônio, as vozes da família e de amigos se elevavam para dar glória a Deus nas palavras de amados poetas místicos como Kabir e Mirabai. Os versos expressam os mais puros anseios que se pode imaginar, como no canto de Mirabai:

Leve-me para lá, aonde ninguém pode ir
Onde a morte tem medo
E cisnes pousam para brincar
No lago do amor.
Lá os fiéis se reúnem
Em nome de seu Senhor.

O caminho da fortuna

Hoje, séculos depois, fiéis e buscadores mudaram muito: estudantes e praticantes de ioga, meditadores de várias correntes, junguianos educados na década de 1950, *hippies* e livres-pensadores dos anos 1960, seguidores de mestres como J. Krishnamurti e de gurus como Paramahansa Yogananda, e até mesmo teosofistas. Devotos de religiões organizadas irradiam sua própria luz e fé. É uma enorme tenda.

Por mais promissores que sejam os sinais e presságios, esse movimento tão diverso às vezes é difícil de ser decifrado. Onde estão os efeitos da espiritualidade em um mundo tão perturbado? Ela não faz muitas incursões na política ortodoxa ou no pensamento social. Mas, como um movimento de raiz, a espiritualidade pessoal é poderosa. Vemos isso claramente no idealismo inextinguível de milhões de pessoas que flertam com o apelo da sabedoria ou aprofundam-se nela.

O caminho da sabedoria, por ser atemporal, está sempre aberto. Francamente, não consigo ver alternativa para o anseio pela espiritualidade. Então, seja qual for a metamorfose do cenário espiritual nos próximos trinta anos, neste momento a busca espiritual e o caminho interior são os movimentos mais viáveis que temos, e merecem ser considerados em seus próprios termos, sem rótulos.

Enquanto refletia sobre este epílogo, folheei *The Soul in Love* [A alma apaixonada], um livro de poesias que fui incentivado a traduzir pela paixão que sentia por Rumi, Kabir e Mirabai. A Ioga é potente em seu conhecimento, mas a poesia fala ao coração. A sabedoria não precisa se expor, porque nada está acontecendo do lado de fora. Sentimos o amor da alma quando vamos a um lugar imutável, que está além de todas as palavras, abençoadas ou provocadoras.

O futuro é uma ilusão que nasce quando a mente perde a sua fonte perene. Sob essa luz, a voz do atemporal mostra o caminho da sabedoria. Rumi, como sempre, diz isso de uma maneira muito bonita:

Só de vez em quando, de repente me ergo dos meus sonhos e sinto uma estranha fragrância. É trazida pelo vento sul, uma vaga lembrança que me faz doer de saudade, como uma aspiração ávida para se completar. Eu não sabia que estava tão perto, e que era minha – a perfeita delicadeza desabrochando das profundezas do meu coração.

AGRADECIMENTOS

Este livro tem uma característica especial, por ter sido escrito durante o *lockdown* pandêmico, que, no Hemisfério Norte, começou na primavera de 2020. Essa experiência realçou duas necessidades que influenciaram profundamente a minha escrita. A primeira foi a necessidade de apoio. Quero expressar a minha gratidão pelo respaldo que este projeto recebeu, por mais isolados que estivéssemos. Em primeiro lugar, como sempre, ao meu editor Gary Jansem, que jamais falha em sua parceria inteligente e sensível comigo.

Também agradeço o apoio de todo o pessoal da Harmony Books, a começar por Diana Baroni – que, no mercado editorial de hoje, tem me ajudado a enfrentar potenciais dificuldades e mostrado novas oportunidades com sua visão objetiva e decisões corretas. Obrigado também a toda a equipe da Harmony, incluindo Tammy Blake, Christina Foxley, Marysarah Quinn, Patricia Shaw, Jessie Bright, Sarah Horgan, Michele Eniclerico, Heather Williamson, Jennifer Wang e Anna Bauer.

A outra necessidade durante o *lockdown* foi manter os valores que dão significado e propósito à vida, apesar dos reveses em tempos difíceis. Todo o meu amor e carinho à minha esposa, Rita, e à nossa família de filhos e netos. Obrigado por terem feito desta jornada um projeto compartilhado que enriqueceu a todos nós.

ÍNDICE REMISSIVO

A
abundância, 18, 21, 81-100
    acesse o seu ponto de partida da, 83-88
    adquira a atitude de, 82-83
    desdobrar a satisfação e, 89-92
    encontre com consciência simples, 88-89
    modelos japoneses e indianos de, 90-91
    prosperar *versus* sobreviver e, 82
    satisfação em primeiro lugar e, 92-93
    sete dons da inteligência criativa e, 105-6
    vida real e, 93-100
abundância, interior, 91, 174, 244
adaptabilidade dos trabalhadores, 43
agarrar-se, 191, 192
alegria, 89, 94, 107-108, 115, 210, 262
    desejos e, 220-222, 232-233
    experiência revitalizadora da, 196
    prazer *versus*, 231-232
    sensações agradáveis desconectadas da, 231-232
    Terra como corpo da, 256
alma (eu verdadeiro), 24-28, 39, 46, 99, 100, 160, 166, 265
    aplicar o sistema de chacras para nos levar à, 112-113
    consciência simples e conexão com a, 68, 69
    ler o perfil da (questionário), 25-28
    relacionamentos que funcionam no nível da, 166-167, 169
    ser fiel consigo mesmo e, 65

Alzheimer, mal de, 49, 51-52
amor, 18, 19, 22, 25, 59, 105, 107-108, 112, 173, 175, 177, 185, 188
Ananda, 115-117
Anandamaya Kosha, 256
anseios, 220, 231-232
ansiedade, 36, 47, 62, 70, 161, 167, 174-175, 187, 189, 232, 247, 260
apoio, dar e receber, 51
aposentadoria, 10, 64, 65
    economizar para a, 48-49
    planos de pensão e, 47-48, 49
aprovação dos outros, 89
"aqui dentro", palavra, 9, 10, 28
    e "lá fora", 92, 96, 202, 254
área, a, 201-208
    dominar a, 203-205
    estar atento à observação, ao distanciamento e ao não fazer, 205-208
    estar na, 201-203, 206
    sinais de não estar na, 204-205
Artha, 10, 90-91
atacar, 186, 191
atenção, lei da, 95
atividade bem-sucedida, 105, 107, 199, 200
atividade criativa e expressão, 89, 92, 213, 214
atividades diárias:
    agir sem esperar pelos frutos da ação, 233
    tarefas desafiadoras, 54-55
autenticidade, 153, 160
autoestima, 19, 46, 62, 65, 87, 265
autoexpressão, 107, 153-154, 170
autoritarismo, 144
autossuficiência, 64

Índice remissivo

B
Berchtold, Marianne (conhecida na infância como Nannerl), 208-209
Bernstein, Leonard, 31
Bhagavad Gita, 120, 135, 233
bilocação, 254
Blake, William, 262
bloqueio, 71-76
    crenças negativas e, 71-74
    memórias ruins e, 74-76
    no não, 239-240
Brihadaranyaka Upanishad, 185
budismo, 40-41, 64-65, 186
bullying, 188, 192-193

C
Campbell, Joseph, 117-118
campos, 117, 120, 135, 261-262
carência, atitude de, 82, 84-85, 86, 88, 92, 94
    crenças sobre a vida real e, 92-95
carma, 30-31, 174
    como obstáculo para Sankalpa, 99-100
    mudança, 31-32, 36-37
    padrões repetitivos e, 164, 165-166
    resultados descartáveis das nossas ações, 29
    utilidade do, 30-32
    ver também dinheiro
causa e efeito, conexão entre, 29-30
cenário espiritual, atual, 265-269
central, sistema nervoso, 206, 257
centrando em si mesmo, 71
cérebro, humano, 57-58
chacra da coroa (sétimo chacra), 107-108, 115-124
    ativar, 122-124
    centrar o pensamento para, 111
    meditação com o mantra e, 108-110
    meditação intencional com o, 110-113
chacra da garganta (quinto chacra), 107-108, 109, 153-172
    ativando, 170-172
    meditação com o mantra, 108-110
    meditação intencional com o, 110-113
    pensamento centrado para, 111
chacra do terceiro olho (sexto chacra), 107, 108, 125-151
    ativar, 147-151
    meditação com o mantra e, 108-110
    meditação intencional com o, 110-113
    pensamento centrado para, 111
chacra do coração (quarto chacra), 107-108, 109, 173-197
    como ativar, 195-197
    meditação com o mantra e, 108-110
    meditação intencional com o, 110-113
    pensamento centrado para, 111
chacra do plexo solar (terceiro chacra), 107-108, 109, 199-218
    ativando o, 215-218
    meditação com o mantra do, 108-110
    meditação intencional com o, 110-113
    pensamento centrado para o, 111
chacra raiz (primeiro chacra), 107-108, 110, 245-264
    ativar o, 263-264
    meditação com o mantra e, 108-110
    meditação intencional com o, 110-113
    pensamento centrado para, 111
chacra sacral (segundo chacra), 83-84, 110, 219-244
    ativando o, 241-244
    centrar o pensamento para, 111
    meditação com o mantra e, 108-110
    meditação intencional com o, 110-113
chacras, sistema de chacras, 105-114
    evolução, ou crescimento interior, nos, 113-114
    meditação básica com os (meditação com o mantra), 108-110
    meditação intencional com (meditação com os pensamentos centrados), 110-113
    ver também chacras específicos
cinco sentidos, 219, 220, 231-232
coisas ruins, carma e, 28-30
colegas, relacionamento com, 44, 45, 49-50
comer demais, 31-32
compaixão, 65, 133, 174, 185, 222
competir, 188
complexo de superioridade, mútuo, 237
comportamento inconsciente, 26, 28, 30, 31, 36, 60-61, 162, 165, 205
confiança, 73, 99, 154, 170, 185, 188, 195
    na inteligência criativa, 207-208
    na nossa intuição, 127, 151
    nas nossas respostas emocionais, 177-178, 182
    nos colegas e superiores, 39, 51
    nos relacionamentos, 166-167, 227, 230-231
    que encontrará uma solução, 37, 38
conformidade, 90, 94, 214
    pensar por si mesmo *versus*, 139-140
conhecimento, 221

conceito socrático do, 136
direto, 147-148
consciência, 19-20, 120
   caminho da, no budismo, 40-41
   como você vê o dinheiro e, 18
   controlar o corpo após a morte, 252-253
   dinheiro como ferramenta da, 18, 19
   do universo, 254
   emoções negativas desarmadas pela, 75
   evolução da, 58-61, 63, 65-66
   focar em, 65-66
   Ioga como ciência da, 17, 23
   mudança impossível sem, 49, 67
   pensadores profundos e, 69-70
   poder da consciência e, 19-20
   preocupações sobre dinheiro, 35
   profunda, alma ou eu verdadeiro e, 24-25
   súbito, *insights* transformadores da vida e, 67-68
   viver na superfície, 22-23
   ver também consciência de si, consciência simples
consciência de si, 175, 205, 208, 209, 217, 261, 262
   lendo o perfil da sua alma e, 24-28
   mudar padrões cármicos e, 36-37, 39
   questões financeiras e, 35, 36
consciência simples, 67-76, 113, 233
   como o silêncio entre dois pensamentos, 68, 69-70
   encontrando a sua abundância e, 88
   intenções da, 190-191
   observação, distanciamento e não fazer como aspectos da, 205-208
   puxando o arco para trás, 69-70
   retornando à, 70-76
   sentimento de, 69, 203
consciência-alegria, 35, 116-117, 118, 123-124, 125-126, 174, 177-178, 200-201, 202, 210, 220
   "siga a sua alegria" e, 43, 100, 117-118, 155, 220
   visualização da, 196-197
consumismo, 82, 83
controlar, 191, 193
cooperação, 64, 192
crenças:
   atitude de abundância *versus* carência e, 86-87
   centrais, trair, 62
   inconscientes, 63, 139-140
   negativas, 71-74
   sobre a vida real, 93-95
   crenças negativas, investigação nas raízes das, 73-74
crescimento interior, 25
crescimento pessoal, 214-215
criação, 59-60
criança interior, 178-183
   acesso à, 178-183
cuidados com a saúde, custo dos, 49
cuidados com o outro, 51-52
culpa, passando adiante, 190-191
culpar, 23, 29, 45, 64, 89, 163-164, 175, 188, 190-192
   nos relacionamentos, 167, 169, 236
culturas corporativas, 53-54

D
dalai-lama, 253
darma, 18, 21-28, 41, 81, 90-91
   alma ou eu verdadeiro e, 24-28
   condições certas para o, 98
   condições erradas para, 98-100
   construir uma visão que pode ser sustentada, 22
   desejo sustentado pelo, 222
   o melhor caminho para você, 21-22, 24
   problemas causados por não conhecer o, 23-24
   próxima mudança assinalada pelo, 67
   relacionamentos e, 126, 234
darwinismo, 255
dependências, 232
depressão, 70, 161, 171-175
desafios criativos no trabalho, 54-55
desapego, 11-12, 17, 150, 169-170, 205-208
desatenção, como obstáculo para Sankalpa, 99-100
desejo(s), 20, 219-224
   alegria, 220-222
   anseios e dependências, *versus*, 220, 232
   do ego, 220, 221-222
   enraizados nos sentidos, 220
   precisar *versus* querer, 222-224
   relacionamentos e *ver* relacionamentos
   verdades profundas sobre, 232-233
   versus necessidades, 222-224
desonestidade, 23, 62
Deus, 265, 266
Dharana, 216
Dhyana, 216
dinheiro:
   como ferramenta da consciência, 18, 19
   como fim em si mesmo, 62

Índice remissivo

entropia e, 61-63
evolução da consciência e, 60
fantasiar sobre, 11, 61
ganhar de maneira certa, 64-66
generosidade de espírito e, 17-18
"o dinheiro virá", 9-11
origens do, 18
preocupação com, 10, 33, 34, 35, 36-37, 39, 45-46
quatro coisas obtidas pelo dinheiro, 18-19
salário e, 45-46
satisfação e, 81-83, 91
segurança financeira e, 33-34, 47-49, 64, 81, 87
tão desejado quanto temido, 40
dinheiro, carma do, 28-41, 100
   acessar o, 33-36
   melhorando o, 36-39
   paradoxo e, 39-41
dominar, 186, 191, 192-193
dons e talentos, 30-31

E

economizar dinheiro, 47-48
   para a aposentadoria, 48-49
Edison, Thomas, 214
ego, 53, 65, 178, 208, 267
   desejos do, 220, 221-222
   fantasias do, 234-238
   impasses do relacionamento e, 234-235, 238, 240
   insegurança e necessidades do, 160, 222
   mensagens da alma e, 25
   Mente 1, 2 e 3 e, 260, 261, 262
   mentiras mágicas, 160-163
   pensamento automático e, 140-142, 144-145
   plano do, 121-122, 220, 221-222
   ser ouvido e, 50
   táticas do, 206
egoísmo, 23, 63, 89, 94, 185, 208, 234
Einstein, Albert, 66, 118, 162
eloquência, 153
emocional, cura, 175, 176-177
emocional, dívida, 187-190
   origem da, 187-189
   perdoando, 189-190
   quitando, e retornando à consciência simples, 74-76
emocional, inteligência, 173
emocional, pobreza, 175-177
emocional, riqueza, 177

emoções, 173-197
   assumindo a responsabilidade por, 89, 194
   comportamento animal e, 187
   evolução das, 177-178, 183-184, 185-187
   fortes, passando adiante e, 191-195
   propósito das, 185
empatia, 23, 25, 51, 173, 174
empoderamento, 107
empregos *ver* trabalho
enraizamento, 245, 246-252
   acesse o seu nível de, 248-250
   escolha de modo de vida e, 251-252
entropia, 59-63
   como ganhar dinheiro de maneira errada e, 61-63
   evolução *versus*, 59-60, 212
   inteligência criativa *versus*, 60-61
   reverter, 212
escolhas, reduzir para controlar algumas, 106
escolhas ou/ou, 121
estar no presente, 223
estresse, 22, 23, 52, 53, 71, 132, 145, 192, 203, 204-205, 206-207, 212, 232, 263
   no trabalho, 44, 46-47
   reduzir o, 211, 212
ética profissional, 64-65
"Eu me basto", 89, 118-120, 160, 163, 208, 262
   exercício de visualização e, 170-172
   melhorando a sua história, 165
"Eu não me basto", 119, 120-122, 171, 208, 210
   agenda do ego e, 121-122
   exercício de visualização e, 171
   melhorando a sua história e, 163-164
eu verdadeiro *ver* alma
evolução, 113-114
   da consciência, 58-61, 63, 65-66
   emocional, 177-178, 183-184, 185-187
   inteligência criativa e, 105-106, 114
   pessoal, 211
excesso, problemas de, 232

F

fala, 153-155
   correta, 154-155
fantasias, 64, 82, 182, 223, 242
   relacionamentos prejudicados pelas, 235-238
   sobre dinheiro, 11, 61
felicidade, 62, 65, 173-174
   adiamento, 65
   experiência revitalizante de, 196

impasses no relacionamento e, 236
filhos:
    "bons" ou "maus", 160
    raiva dos pais contra os, 186-187
filosofia perene, 266
fisicalidade do corpo, confortável com, 249-251
fogo, criatividade hominídea e, 57-58
força de vontade, 199
Ford, Henry, 53
fracassos, 87, 233
frases com "Quero...", 190
Freud, Sigmund, 176, 184
futuro, 161, 262
    como ilusão, 268
    financeiro, 33, 48
    inteligência criativa e, 66

G
generosidade de espírito, 12, 17-18, 21, 81, 88-89, 105, 200-201
Geshe Gyatso, 253
Grande Recessão de 2008, 47

H
hábitos, 30, 31-32, 36, 65, 205
    crenças negativas e autodestrutivas e, 71-74
hataioga, 11, 124
hinduísmo, 30
história, melhorando sua, 163-166, 170-172
holograma, mental, 162, 163
Hunt, H. L., 83
Huxley, Aldous, 162, 266

I
ikigai, 90
imaginação, 96, 125, 126, 147, 195
impotência, sensação de, 200
inconsciente, escolher ser, 135
inércia, 65
infância:
    comportamentos descartáveis e fantasias da, 192, 193, 236
    criança interior e, 177-183
    desenvolvimento na, 66
    dívidas emocionais da, 188-189
insight, 195
    súbito, transformador da vida, 67-68
instinto assassino, 63
inteligência, 105, 107, 125-126; *ver também* inteligência criativa
inteligência criativa, 57-66, 221, 233
    alinhar-se com, no trabalho, 45
    consciência simples e, 205-208
    controle e uso do fogo e, 57-58
    desenvolvimento na infância como metáfora de, 66
    emoções e, 174, 189-190, 194-195
    expandir as suas possibilidades e, 214-215
    ficar perto da fonte e, 213
    meditação intencional e, 110-113
    observação e, 205-206
    relacionamentos e, 235
    sete dons da, 105-106
    sistema de chacras e, 107
intenção:
    da consciência simples, 190-191
    lei da, 95-96
    má, associada a emoções negativas, 187
    Samyama e, 216-217
    Sankalpa e, 95-100
intuição, 195
    ativando o chacra do terceiro olho, 147-151
    conhecimento direto e, 147-148
    "Peça e receberá" e, 149-151
    visualização à distância e, 148-149
Ioga:
    formulação da, 58-59
    propósito da, 9-10, 11
    quando o começo e o fim do processo se juntam, 220
    significado de "ioga", 9
    usos dos termos "Ioga" e "ioga" neste livro, 11
    visão da, 210

J
Japão:
    conceito do *ikigai* no, 90
    deterioração da prática corporativa no, 47
jogo de soma zero, 237
julgamentos, prender-se a, 238

K
Kabir, 267, 268
Kama, 90-91
Krishna, Lorde, 120, 135
Kumar, Anoop, 260

L
Lawrence, H. D., 136

Índice remissivo

M
malfeito, 62
maltratar os outros, 62-63
manipulação, 177, 188, 191, 193
mantras-sementes, 108-109
Marley, Bob, 18
materialismo, 40-41, 91
McDonald's, 106
medicina, como profissão, 43, 45, 55
meditação, 70, 108-113, 159, 213, 248, 251, 258-259, 261
    efeitos maléficos da sobrecarga curados por, 207
    estado espiritual do *thukdam* e, 252-253
    intencional, 110-113
    mantra, 108-110
    pensamentos centrados para, 111
    Samyama e, 215-218
meditação do mantra, 108-110
meditação intencional, 110-113
medo:
    da perda, 40
    da pobreza, 62
melhorando a própria história, 163-166, 170-172
memórias:
    de fracassos do passado, 87
    ruins, descartando dívidas emocionais das, 74-76
Mente 1, 2 e 3, 260-262
mente ativa, 119, 120, 213, 261
mente inconsciente, 113, 178
mente intuitiva/criativa, 128-131
mente lógica/racional, 128-131
mente quieta, 68, 217, 261
mente sobre matéria, 252-253
mentiras mágicas, 160-162
Mesopotâmia, origens do dinheiro na, 18
mindset, 128-135
    lógico/racional *versus* intuitivo/criativo, 128-131
    ultrapassar o, 131-135
Mirabai, 267, 268
mobilidade para cima, 53
Mocsa, 90-91
momentos "Aha!", 19, 26, 39, 68, 256-257 [insight]
morte, permanecer conscientemente no corpo apesar da, 252-253
Mozart, Wolfgang Amadeus, 30, 118, 208-210, 214
mudança:
    impasses nos relacionamentos e, 236
    impossível sem a atenção, 49, 67
    insights súbitos e, 67-68
    sinais do darma e, 67
multitarefa, 46, 213, 251
mundo "lá fora", o, 9, 28-29, 95, 200, 210, 257
    e "aqui dentro" e, 92, 96, 202, 254
mundo natural, apreciação do, 213, 218

N
não:
    como as pessoas se prendem ao, 239-240
    transformando em sim, 239
não fazer, 207-208
narcisismo, 236
necessidades, 18, 19
    quão bem você está atendendo às suas, 224-231
    querer *versus*, 222-224
necessidades vitais, 225-226
negação, 36, 38, 82, 88, 168, 176
Nisargadatta Maharaj, 119
números, como construção humana, 58

O
observação, 205-206, 208
organização do tempo, 55-56
ouvir, impasses no relacionamento e, 235-236

P
pandemia de covid-19, 47, 48, 95, 265
paradoxo, 39-41
passado:
    crenças negativas do, 71-74
    lembranças ruins e ficar preso nelas, 74-76
passar adiante, 191-195
    fim de jogo, 194-195
    táticas de, 191-193
"Peça e receberá", 149-151
pecado, sensualidade igualada com, 231
pensadores conscientes, 136-140
pensadores profundos, 69-70
pensamento automático, 140-145
    agenda social e, 142-145
    ego e, 140-142, 144-145
pensamento centrado, meditação do (meditação intencional), 110-113
pensamento ilusório, 36, 38, 95
pensamento mágico, 96
pensamento nós-contra-eles, 238
pensar por si mesmo, 137-140

pequenas empresas, 47
percepção, visão distanciada e, 148-149
pesquisa da mente-total, 128-131
pessimismo, 36, 87, 163
planos de pensão, 47, 49
pobreza, 11-12, 21
 emocional, 175-177
 medo da, 62
poder, pessoal, 199-201
 estar na área e, 201-203, 206
 não estar na área e, 204-205
possibilidade criativa, 19, 20
possibilidades, infinitas, 12, 17, 106, 114, 162, 210, 214-215
Pranayama, 71
prazer *versus* alegria, 231-232
predisposições, 30
preocupações, 35, 46, 89, 106, 175, 177, 187, 189, 233, 244, 250, 251
 com a segurança no trabalho, 47-48
 com dinheiro, 10, 33, 34, 35, 36-37, 39, 45-46
pressão no trabalho, 46-47
programação social, 142-145
progressos, oportunidades no trabalho, 52-53
prosperar *versus* sobreviver, 82
psicoterapia, 174
punição, 188
puxar o arco para trás, 69

Q
qualidade de vida:
 estar no seu darma como a chave para, 21-22, 24
 medindo a, 17

R
raiva, 70, 186-188
 ataque de, 191
reações e reflexos automáticos, 30
realidade certa, 252
recém-nascido, 57
reencarnação, 30
relacionamentos, 100, 142, 162, 165, 191, 212, 234-240
 cinco fantasias que paralisam, 235-238
 comunicação e, 153-154, 158, 166-170
 darma e, 126, 234
 mudança criativa nos, 238-240
 ponto de vista transacional nos, 91-92
 questionário sobre as necessidades nos, 227-231

 quitando a dívida emocional dos, 74
 reponsabilidade para melhorar, 238
 visualização para enriquecer os, 171
religião, organizada, 266
repetição:
 carma e, 39, 165-166
 desejos e dependências, 232
 retornando à consciência simples, 70-71
respiração:
 controlada, 71, 72
 vagal, 71
responsabilidade, assumir, 64
 pelos próprios sentimentos, 194
romano, catolicismo, 133, 253
rótulos de bom e mau, 160
Rumi, 266, 268

S
sabedoria, 24, 25, 120, 125, 126, 135-136, 145-147
 anatomia da, 145-147
 do coração, 174
 necessidade de, 265, 266
sair do próprio caminho, 190, 205
salário, 45-46
Samadhi, 216-217
Samyama, 216-217
Sankalpa, 95-100
satisfação, 88, 89-93, 96, 100, 154, 157, 176, 201, 210, 223, 243
 atitude de abundância e, 81, 82-83, 88-89
 compartilhada, relacionamentos e, 234
 desdobramento da, 89-92
 do desejo, 220, 232-233, 240, 241
 em primeiro lugar, 92-93
 reação corporal à, 256
 táticas para compensar a falta de, 81-82
Schubert, Franz, 214
segurança financeira, 33-34, 47-49, 81, 87
 autossuficiência e, 64
senso de segurança e estar protegido, 105, 107-108, 245
sensualidade, 105, 219, 220, 231-232
ser ouvido, 44, 50-51, 156, 157, 166, 236
sexualidade, 105, 184, 219, 220
Shakespeare, William, 40, 118, 145, 184
Shakti, 257-262
 Mentes 1, 2 e 3 e, 260-262
siddhis, 254
"Siga a sua alegria", 43, 100, 117-118, 155, 220
sincronicidade, 257-259
sistema imunológico, 256

Índice remissivo

sistema nervoso involuntário, 206-207, 251
sistema nervoso voluntário, 206-207
sobrevivência darwinista, 185
sobreviver *versus* prosperar, 82
Sócrates, 136
sofistas, 136
solidariedade, 37, 52, 89, 164, 165, 169
"soprando a poeira do espelho", 177
sorrir interiormente, 242-243
sorte, carma e, 29-30
sucesso, 153-154, 233
    mitologia do, 204
Swarupa, 113

T
tarefas, 212
tédio, 55, 70-71, 146, 157, 204
    voltar para a consciência simples do, 70-71
Terra:
    aterrando a sua energia pessoal, 264
    começo da vida na, 255
    como corpo da alegria, 256
    conexão com a, 245, 246-251, 252
    evolução da vida na, 211
    origem da, 59
thukdam, 252-253
totalidade, 115, 119-120
trabalhando em casa, 54
trabalho, 43-56, 211
    alinhando-se com a inteligência criativa, 45
    condições satisfatórias para, 44-45
    culturas empresariais e, 53-54
    estresse no, 46-47
    fazer um bom trabalho no, 55
    hierarquias no, 51
    oportunidade de cuidar dos outros e, 52
    oportunidades de progresso no, 52-53
    organização do tempo e, 55-56
    relacionamento com os colegas, 44, 45, 49-50
    salário e, 45-46
    satisfação *versus* prosperidade, 43
    segurança no trabalho, 44, 46, 47-49, 54
    ser ouvido no, 50

tarefas diárias desafiadoras no, 54-55
trabalhos mais satisfatórios, 43-44
trair as suas crenças centrais no, 62
traços de caráter, 30
tradição judaico-cristã, 20
tradição védica, 10, 177
trair as crenças centrais, 62
transformando "não" em "sim", 239
trocar, 18, 19

U
unidade, 115
universo, 57, 59
    conexão da Shakti com, 257-262
    consciência do, 254-255
    origem do, 117, 120
    problemas ou desafios atuais e, 150

V
valores centrais:
    ser fiel aos, 65
    trair os, 62
válvula redutora, 162
vida, verdadeiro propósito da, 12
vida real, 93-100
    confrontando com atenção e intenção, 95-100
    crenças sobre, 93-95
violência, 186, 188
Viscott, David, 187
visualizações:
    da consciência-alegria, 196-197
    da luz branca enchendo o peito, 75-76
    da luz dourada preenchendo o seu corpo, 264
    da mente sobre a matéria, 252
    da situação que está indo bem, 171-172
    de cada evento significativo do dia, 243-244
    do facho de luz branca percorrendo a coluna vertebral e penetrando na Terra, 263-264
    do obstáculo, 171
    do sentimento de alegria, 196-197
visualizações à distância, 148-149
vitimização, 64

Compartilhe a sua opinião
sobre este livro usando a hashtag
#OCaminhoDaFortuna
nas nossas redes sociais:

  /EditoraAlaude
  /EditoraAlaude